DETECTIVE CONAN

名探偵コナン 紅の修学旅行

CHARACTERS
工藤新一
（江戸川コナン）
Shinichi Kudō
毛利 蘭
Ran Mōri
世良真純
Masumi Sera
服部平次
Heiji Hattori
大岡紅葉
Momiji Ōoka

名探偵コナン
紅の修学旅行

水稀しま／著
青山剛昌／原作

★小学館ジュニア文庫★

オレは高校生探偵、工藤新一。

幼なじみで同級生の毛利蘭と遊園地に遊びに行って、黒ずくめの男の怪しげな取り引き現場を目撃した。

取り引きを見るのに夢中になっていたオレは、背後から近づいて来るもう一人の仲間に気づかなかった。オレはその男に毒薬を飲まされ、目が覚めたら——体が縮んで子どもの姿になっていた!!

工藤新一が生きているとヤツらにバレたら、また命を狙われ、周りの人にも危害が及ぶ。

だからオレは阿笠博士の助言で正体を隠すことにした。

蘭に名前を聞かれてとっさに『江戸川コナン』と名乗り、ヤツらの情報をつかむために、父親が探偵をやっている蘭の家に転がり込んだ。

ところで、オレの正体を知っている者が阿笠博士とオレの両親の他にもいる。

西の高校生探偵・服部平次。

彼によれば、推理力と剣道の腕は大阪府警本部長の父親譲りで、度胸がいいのは母親譲り、色黒なのは祖父譲りらしい。

そして、同じ小学校に通っている灰原哀——本名は、宮野志保。彼女は、姉の宮野明美と共に黒ずくめの男たちの仲間で、オレが飲まされた毒薬『APTX4869』を開発した。ところが、宮野明美が組織によって殺害され、そのことに反発した灰原は、自らが開発した『APTX4869』を飲んで体が縮んでしまい、今はヤツらの目から逃れるために、阿笠博士の家に住んでいる。

小さくなっても頭脳は同じ。迷宮なしの名探偵。真実はいつもひとつ！

鮮紅編（せんこうへん）

1

京都・清水寺――。

毛利蘭や鈴木園子が通う帝丹高校の二年生は、修学旅行で秋の京都を訪れていた。

音羽山の中腹に建つ清水寺の本堂には、高い崖にせり出した『清水の舞台』と呼ばれる板張りの舞台があり、大勢の修学旅行生や観光客が舞台の下に広がる紅葉を眺めている。

蘭や園子は、本堂の近くにある音羽の瀧の真上に建つ奥の院に来ていた。

本堂を小さくしたような造りの奥の院にも舞台があり、そこからも紅葉はもちろん、本堂の全貌を見渡すことができる。

奥の院の舞台に立っている蘭に、園子は写真を撮ろうとスマホを向けた。

「ちょ、ちょっと待ってよ、園子」

「いいじゃん、久しぶりなんだからさぁ♥」

「無理、無理、無理、無理……勘弁して〜!!」

蘭は恥ずかしそうに顔の前に両手を広げた。

「なによー！　せっかくこの園子様がラブラブショットを撮ってあげようってーのに」

「だから、みんなで撮ろうよー」

「ダーメ！　なんなら熱っつい口付けを交わしちゃってもよくってよ？　奥様♥」

「え〜〜〜〜〜〜〜!?」

「とにかく、行って来ォい♪」

ドン！　と園子が勢いよく蘭の体を押す。

「きゃっ」と短い悲鳴を上げた蘭は、二、三歩後ろによろめいて、男子生徒にぶつかった。

その男子生徒は――工藤新一だった。

パシャッ！

その瞬間、園子がスマホのシャッターボタンを押す。

舞台の向こうに広がる青空と紅葉を背景に、押されてビックリしている蘭と、への字口で蘭の体を支える新一のツーショット写真が撮れた。

「あ、ゴメン！　ぶつかっちゃって、痛かった？」

蘭が慌てて謝ると、新一は蘭の肩を押して離れた。

「あんまりオレに近寄んない方がいいぞ」

「え？」

「言っただろ？　風邪気味だって……」

そう言うと、新一はゴホゴホと咳をした。

「大丈夫？　一応、風邪薬持って来てるけど……」

「大丈夫だよ。博士に薬もらってっから……」

蘭と新一が話しているのを見て、園子がニヤニヤと笑う。

「あら、お二人さん♥　今夜の密会のご相談かしら？」

「園子ォ!!　いい加減にしないとマジで怒るよ――!!」

文句を言いながら園子に歩み寄っていく蘭を、新一はチラリと見た。

（やっべー……）

ぶつかってきた蘭の顔を間近で見たとたん、新一の胸はドキッと高鳴った。

江戸川コナンでいるときは、いつもはローアングルから見上げているから忘れ気味だったけど、近くで見るとやっぱ……。

「おい、お前……」

新一が蘭の顔を思い出していると、いきなりクラスメイトの世良真純に両頬を手でつかまれた。顔をグッと近づけ、怪訝そうに新一の顔を覗き込む。

「本当に工藤新一なのか？」

「あ、ああ……」

ギクリとしつつ新一がうなずくと、世良はなおも挑戦的な目で新一を見た。

「な、なんだよ」

「ボクのこと、覚えてるよな？」

「え？　あ……オウ！　ガキの頃、海で会ったよな？　十年振りか？」

新一は記憶を手繰り寄せながら慎重に答えた。コナンとしては何度も会っているけれど、新一として会うのは子どものとき以来だ。

「十年振り？　本当にそうなのか？」

「あ、ああ……もちろん！」

新一が顔を引きつらせながら答えると、近くにいた蘭が「世良ちゃーん！」と呼んだ。

「清水の舞台に行くよー！」

世良は「オウ！」と返事をすると、新一を見てニヤリと笑った。

「じゃあまた、後でゆっくり話聞かせてもらうからな」

「ああ……」

世良が蘭たちの方に向かうのを見て、新一はホッと胸をなでおろした。すると、

「おい工藤、やったな！」

クラスメイトの中道が声をかけてきた。

「中道……やったなって？」

「帝丹高校女子裏人気投票でトップ10の内の三人がオレらと同じ班なんだからよ！」

中道は歩いていく蘭、園子、世良を振り返りながら、新一に耳打ちした。

「へえ〜、裏人気投票ねえ……」

自分がいないところで、そんなものがあったのか――と新一は驚いた。

(蘭は何位だったんだ……？)

「まあ、毛利はロンドンで告ったお前に免じて遠慮してやるけどよ」

「バーロ！　園子にはメチャ強の彼氏がいるし、世良は截拳道の……」

と言いかけて、新一はハッと気づいた。

「――って、なんで告ったこと知ってんだよ!?」

「え？　鈴木がみんなに言ってたぜ？『みんなで応援しようね――』ってさ！」

(園子のヤロォ……)

新一は園子の後ろ姿をにらみつけた。

みんなってことは、クラス全員に知られてしまったのか……！

「でも工藤、よく修学旅行参加できたな。来ねえかと思ったぜ？」

「ああ、まぁ……いろいろあってな」

新一は言葉を濁しつつ、灰原哀に思いを巡らした。

修学旅行があることを知った新一は、灰原に『ＡＰＴＸ４８６９』の解毒薬を作ってくれるよう頼んだのだ。

あれは夏休みに入った七月下旬のこと――。

少年探偵団の吉田歩美、小嶋元太、円谷光彦と灰原、コナンで、プロサッカーチームの東京スピリッツ対ビッグ大阪の試合を観に行ったのだが、帰りの電車で灰原が比護隆佑選手のぬいぐるみストラップを落としてしまった。

そのぬいぐるみストラップはケガで試合欠場してスタンド観戦していた比護選手本人に

触ってもらった、世界でたった一つのストラップで、コナンたちは阿笠邸のそばで車を停めていた安室と一緒に探すことになった。

電車内で灰原のぬいぐるみストラップを拾ったと思われる親子を捜して、潮干狩り会場の海水浴場まで来てみたのだが、コナンたちの後をつけていた男にそのぬいぐるみストラップを奪われてしまった。

男を見つけたコナンは、サッカーボールを逃げる男の背中に蹴り当てた。はずみで男が奪ったぬいぐるみストラップが海に落ちそうになり、コナンが海に飛び込んでキャッチしたのだが、そのぬいぐるみストラップは男が灰原たちと同じ電車の車両で落としたものだった。親子が拾ったぬいぐるみストラップは、男のものだったのだ。

灰原のぬいぐるみストラップは、電車が揺れて灰原が転倒したときに、一緒に倒れた元太が着ていたパーカーのフードに入ってしまっていた。

結局、元太がフードを被ったファミレスの駐車場で、灰原のぬいぐるみストラップを無事見つけることができたわけで――。

ぬいぐるみストラップを見つけたコナンたちが阿笠邸に戻った頃には、すっかり日が暮れていた。

『オォー！　哀君のストラップ見つかったのか!!』

『ああ、なんとかな』

コナンが答えると、カレーのお裾分けにきていた沖矢昴が『それで？　ＲＸ７の彼は？』とたずねた。

『ああ、安室さんなら……』

『用があるって帰ったぞ？』

光彦と元太の答えに、沖矢は『そうですか……』と微笑む。

『哀ちゃーん！』

歩美は部屋の隅で呆然と座り込んでいる灰原に声をかけた。

『比護さんのストラップ見つかったよー！』

ピクッと反応した灰原は、無表情のままスタスタとコナンたちの元へ歩いてきた。

『……ホント？』

『あ、ああ…いろいろすったもんだあったけど、みんなで見つけてやったぜ！』

とたんに灰原の表情がパアッと明るくなった。

『ありがとー‼』

『ホラよ！　お待ちかねの比護さんのストラップだ！』

コナンが差し出したぬいぐるみストラップを見たとたん――灰原の顔が曇った。

比護選手を模したぬいぐるみは形が崩れてクタクタになっていた。特に変わってしまったのは顔のパーツで、左目の位置が大きく上にずれてしまって、比護選手とは似ても似つかない顔になっていた。

『車にひかれたみたいで』

『スゲー汚れてたからよ！』

『水洗いしてきれいにしといたよー！』

『ついでに左目が取れてたから、油性ペンで描いといてやったぜ』

子どもたちに続いてコナンがにこやかに言うと、ぬいぐるみストラップを持った灰原はコナンをキッとにらみつけた。

『みんなご苦労じゃったのォ、今何か冷たいものを出してやろう』

『やったー♥』

子どもたちが阿笠博士と一緒にキッチンへ向かうと、リビングに残ったコナンは灰原に近づいた。

――頼むなら今だ。灰原が大切にしていたぬいぐるみストラップを見つけた今なら、快く引き受けてくれるかもしれない。

『……だからってワケじゃねぇけどよ、よかったら体を元に戻す薬を……』

コナンが口元に手を当ててコソコソ言うと、灰原が鬼のような形相で振り向いた。

『絶対に、イ・ヤ!!!』

恐ろしい顔でにらまれたコナンは、思わずギョッとした。

『や、やっぱそうだよなあ……』

ハハハ……と苦笑いしたとたん、クシュン！　とくしゃみが出る。
『おいおい、風邪か？』
キッチンの方から阿笠博士が顔を覗かせた。
『あ、いや……』
コナンが鼻をすすると、ジュースを持った子どもたちが阿笠博士に説明した。
『コナンのヤツ、ストラップが海に落ちそうになって飛び込んだからよ！』
『結局、他の人のヤツだったんですけど……』
『その後も服濡れたまま探してたから……』
『そーいえば君たちも少々汚れているようじゃが……』
阿笠博士は、子どもたちの顔や服が汚れていることに気づいた。
『車の下とかも探してたからな』
『哀ちゃんのためだもん！』
『全然平気です！』

『ねー！』

笑顔で話す子どもたちの姿を見ていた灰原は、手の中のぬいぐるみストラップに目を移した。

ボロボロになってしまった比護選手のぬいぐるみストラップ。これを見つけるために、彼らがどれだけ苦労したのかが、このボロ具合からもよくわかる——。

灰原のそばでは、コナンが顎に手を当てて険しい顔をしていた。

（やっぱ修学旅行はあきらめるっきゃねぇか……工藤新一が生きてるって世間に知られてもヤベェしな……）

突然、灰原の手が考え事をしているコナンの耳を引っ張り上げた。

『痛たた……何すんだ、灰原!?』

『薬、あげてもいいわよ』

灰原がコナンの耳元で言った。

『ホ、ホントか!?』

『ただし、私の言いつけはしっかり守ること!!　わかった!?』

灰原が出した言いつけを守ることを条件に解毒薬をもらった新一は、こうして無事修学旅行に参加することができたのだ。

（ヘイヘイ、わあってますよ……）

新一は心の中でつぶやきながら、蘭たちの後をついていった。

「わぁ――！」

「眺めいいねー♪」

清水寺の本堂に来た蘭たちは、本堂から張り出した舞台の端に立ち、眼下に広がる紅葉を眺めた。

そのそばで、世良が欄干から身を乗り出して舞台の下を覗き込む。

「でもここ、割と高くないな。12メートルってところか」

「世良ちゃん、あんまり身を乗り出すと危ないよ？」

「この前もここから投身自殺した人がいたらしいしね」

園子はそう言うと、隣に立つ蘭に顔を近づけた。

「んで？　新一君に告白の返事はしたの？」

「ま、まだだけど……」

「だったら、マジでここでブチューってやっちゃいなさいよ！　清水の舞台から飛び降りる気分でさ♥」

「そんなのできるわけないでしょ!?」

蘭が真っ赤な顔で叫ぶと、世良がきょとんとした。

「なんだ？　蘭君、ここから飛び降りるのか？」

「気合いの問題よ、気合いの」

そのとき——あきれて話す園子の背後を、つば広帽子を被った女性がスッと通った。蘭はその女性の姿を目に留めた。

女性は欄干の前で立ち止まると、バッグから取り出した手帳を開き、押し花のようなものを手に取った。

「待っててね……出栗君……」

そう言って、押し花を持つ手を柵の向こうに伸ばす。

「もうすぐだから……」

ヒュオッと風が吹いて、手から離れた押し花が宙を舞ってヒラヒラと落ちていった——。

その一連の動作はまるで映画のワンシーンのようで、蘭の目は釘付けになった。帽子を目深に被っているから目元はよく見えないものの、その美しい横顔や立ち姿はテレビで見たことがある——。

「あ、あのー……」

蘭は思い切って声をかけた。

「もしかして、女優の鞍知景子さんじゃないですか!?　この前、日本マカデミー賞を受賞された――」

蘭が興奮気味に話しかけると、鞍知景子（37歳）はシーッと人差し指を口に当てた。

「ここへはお忍びで来てるから、内緒にしてね」

すると、二人の会話を聞いた園子と世良が歩み寄ってきた。

「お！　有名人か？」

「一緒に写真いいですか？」

「ええ……こっそりとなら」

蘭は「ありがとうございます!!」と言うと、近くにいた新一たちを振り返った。

「新一と中道君もおいでよ！　一緒に写真撮ろ！」

「新一……？」

新一の顔を見た景子の目が、驚いたように大きく開く。

景子を取り囲んでみんなで写真を撮り終えると、

「あ、ちょっと君」

景子は新一に声をかけた。

「もしかして君、工藤新一君？　高校生探偵の！　有希子ちゃんの息子さんよね？」

「あ、はい」

新一が戸惑いながら答えると、景子の顔がパアッと明るくなった。

「やっぱり♥　私、君のオムツ替えたことあるのよ？　で、なに？　京都に修学旅行？」

景子と新一が親しげに話しているのを見て、園子はニヤニヤしながら蘭に耳打ちした。

「ちょっと奥さん、旦那が浮気してますわよ」

「なんか知り合いみたいだよ」

蘭が苦笑いしながら新一たちを見ると、新一たちが祇園ホテルに泊まると聞いた景子が
「ウソ！」と目を丸くした。

「私たちのホテルと同じじゃない！」

「私たちって、誰かと来てるんですか？」

新一に聞かれて、景子は「ええ」とうなずいた。

「祇園芸術大学時代の同級生たちと古い友人のお墓参りに……。まあ同級生っていっても、みんな有名人なんだけどね」

「へー……」

「あ、そうだ！　同じホテルなら、今晩私の部屋に来てくれる？　君に見せたいものがあるの」

景子はそう言うと、バッグから取り出した手帳に何やら書き込んだ。

「見せたいもの？」

「暗号よ。探偵なら大好物でしょ？」

新一に顔を寄せた景子はフフッと微笑み、手帳からメモを破った。

「じゃあ夜九時ごろに来て。――ハイ、これ私の部屋番号」

部屋番号が書かれたメモを渡された新一は、行こうかどうか迷った。

暗号と言われて、興味を持たないわけがない。だが下手に動き回って工藤新一が世間に知られてもまずい気がするし、夜九時となると……。

「本当は有希子ちゃんの旦那さんに頼もうと思ってたんだけど、君じゃ無理かなぁ？」

推理小説家の父を引き合いに出された新一に、がぜん対抗意識が芽生えた。

「いえ、全然大丈夫です!!」

「じゃあ決まりね！　君の彼女も連れて来ていいからさ♥」

「え？」

ウインクした景子は、やや離れたところにいる蘭と園子を見た。

「あそこのロングヘアーの娘でしょ？　さっきからこっちガン見してるし」

そう言われて新一も目をやると、蘭と園子がむくれた顔でこっちを見ている。

「じゃあ後で、待ってるから必ず来てね」

「あ、はい……」

去っていく景子を見送った新一は、蘭の方をチラリと見た。目が合った蘭はプイッと顔を背けて歩き出す。

「あ、ちょっと蘭〜！」

園子が慌てて追いかけていくのを見て、新一はやれやれと息をついた。

(夜九時か、ギリだな……)

腕時計を見る新一からやや離れたところに、ニット帽を被りサングラスとマスクで顔を隠した人物が立っていた。

奥の院からずっと新一たちについてきていたその人物は、新一と同じように腕時計を見ていた。

2

清水寺を後にした新一たちは、京都の名所を回った。

次に訪れた八坂神社で、蘭たち女子が真っ先に向かったのは、宗像三女神と呼ばれる三人の女神が祀られている美御前社だった。

社殿前には美容水と呼ばれる湧き水が出ており、この水を肌につけると、肌のみならず心も美しく磨かれるという。

誰もが数滴手に取って肌につけているところを、世良はその美容水を両手で受けて、豪快に顔を洗った。ニッコリと笑う世良に、蘭と園子が苦笑いする。

八坂の塔と呼ばれる法観寺の五重塔を拝観した後は、その近くにある八坂庚申堂に立ち寄った。

日本三庚申の一つである寺院では猿は神の使いとされていて、山門の屋根には『見ざる、言わざる、聞かざる』といわれる両手で目、口、耳を隠している三匹の猿が並んでいる。カラフルな布地でできた『くくり猿』と呼ばれるお手玉のような形をしたお守りがたくさん吊るされているお堂の前で、新一、園子、中道は三匹の猿を真似て写真を撮った。

その後、三十三間堂などを回った。千体の千手観音立像が整然と並ぶ前では、園子、世良、新一、中道が縦一列に並び、千手観音立像のポーズを作った。さらに順番に上半身を回して大きな円を描き出すと、写真を撮ろうとしていた蘭が笑い出し、参拝客たちも笑顔で通り過ぎた。

名所巡りの途中で休憩しようと入った店は、女子のリクエストで京都の有名なフルーツパーラーだった。

蘭、園子、世良がフルーツサンドをおいしそうに頬ばる隣の席で、新一と中道は居心地悪そうにフルーツジュースをじゅるじゅると飲む。

そして修学旅行一日目の最後に訪れたのは、三十三間堂の東隣にある養源院だった。

豊臣秀吉の側室だった淀殿が父・浅井長政を弔うために建てられた養源院の本堂と廊下の天井は、伏見城の戦いで武将らが自刃したときの床板が張られていて、血で染められた跡が無数に残っていた。

「ほへ〜、これが血天井かー……」

天井を染めるおびただしい黒い染みを園子が恐々と見上げていると、

「大昔の殺人現場だな！」

世良はあっけらかんと言った。隣にいた中道が「さすがＪＫ探偵……」と苦笑いする。

新一はその後ろで天井をまじまじと見上げていた。無数の黒い染みの中には、手や足の形をしたものも生々しく残っている。

「ね、ねぇ。早く先に進もうよ〜」

新一の後ろにいた蘭は、目をつぶりながら新一の腕にしがみついた。

「大丈夫！　垂れて来やしねーし」

「それはわかってるけど……」

「それに戦死者を弔うために天井に掲げたんだから、ちゃんと見て冥福を祈らねーと」

「そ、そだね……」

蘭はそう言うと、恐る恐る目を開けて天井を見上げた。同時に新一の腕にぎゅっと体を寄せる。

（!!）

新一はチラリと蘭を見た。

恐いのを必死で我慢して天井を見つめている顔が、たまらなくかわいい。

（やばい……楽しすぎる……）

コナンとして蘭のそばにいるときとは、まるで違う。

灰原に頼んで修学旅行に来られてよかった——と、新一はしみじみ思った。

その日の夜。ホテルで夕食と入浴を済ませた新一は、約束どおり夜九時頃に鞍知景子の部屋を訪ねることにした。

蘭、園子、世良と共にエレベーターに乗り、景子の部屋がある階で降りる。

「ねえ、何号室？　鞍知さんの部屋」

蘭に聞かれて、新一はジャージのポケットから景子にもらったメモを取り出した。

「1506号室……」

すると前から女性二人がエレベーターホールに入ってきた。

「すいません、麻衣さん」

「しょうがないよ、あの人たち、大学時代からの友だちなんでしょ？　それにあの映画、大学のときの自主制作のリメイクらしいじゃない？」

話しながら通り過ぎていく女性の一人を見て、蘭はアッと小さな声を上げた。

その女性は、人気歌手の倉木麻衣（36歳）だった。

園子と新一もすぐに倉木麻衣だと気づいた。だが世良だけは、

「……誰だ？」

ときょとんとする。園子は慌てて世良の口をふさいだ。

倉木麻衣はエレベーターの乗場ボタンを押すと、マネージャーらしい人の方を向いた。

「そんな映画のポスターにあの五人が並んで、私の名前がドーンと出てたら、ごり押し感バリバリじゃない。断られてよかったんだって！」

「すみません。いい宣伝になると思ったんですけど……」

マネージャーらしい人がうなだれると、その肩越しに倉木麻衣は新一たちに気づき、ニッコリと微笑んだ。

「君たち、高校生だよね、修学旅行？」

「あ、はい」

新一が頰を赤く染めて答えると、倉木麻衣は「そっかー」とうらやましそうに四人を見た。

「いいなぁ、修学旅行でダブルデートか～。青春だな～。お姉さん、キュンキュンしちゃうよ♥」

そう言って、新一たちに手を振ってエレベーターに乗り込む。

新一、蘭、園子はエレベーターの扉が閉まるのをぽかんと見つめた。

「……ダブルデート？」

蘭の声に、三人は顔を見合わせた。そして園子が口をふさいでいた世良を同時に見る。

「あ」

園子は口をふさがれて苦しそうにしている世良にようやく気づき、慌てて手を離した。

「はぁ、はぁ……死ぬかと、思った……っ」

「……ゴメン」

三人は苦笑いした。世良は気づいてないようだが、倉木麻衣は世良を男だと勘違いしたのだ。

１５０６号室のドアベルを押すと、ドアが開いて昼間と同じ格好をした鞍知景子が顔を出した。

「いらっしゃい。――あら、連れて来るの、その娘だけじゃなかったのね」

景子は新一の後ろに並ぶ蘭たちを見て言った。

「すみません。会うって話したら来たいって言うので……」

園子が「どーも」と軽く会釈をする。

「まずかったですか？」

「ううん、全然。にぎやかでいいんじゃない？」

「暗号なら任せなよ！」

出し抜けに言い出す世良に、園子が慌てて付け加えた。

「あ、この子も探偵なんです、女子高生探偵！」

「へぇ〜、頼もしいわね」

感心している景子に、蘭は「あのぉ」と声をかけた。

「部屋でも帽子被ってるんですか？」

景子は清水寺で被っていたつば広の帽子をホテルの中でも被っていた。

「ああ、これ？　映画の撮影中に転んでタンコブができちゃって……」

「あ、もしかして今週末に封切りする映画の撮影？」

園子がたずねると、

「そうそう、『紅の修羅天狗』！」

背後から男の声が返ってきた。振り返ると、いつの間にか三人の男性が立っている。

「主演の俺が見所の時代劇ファンタジーだぜ？」

自分を指差しながら答えたのは、井隼森也（37歳）だった。浅黒い肌に黒髪のショートパーマヘア、さらに口髭を生やした井隼は、そのワイルドな風貌が人気の俳優だ。

「いやいや、この映画の見所は監督の私の演出だろ？」

井隼の隣に立っているメガネの男が言った。細面に顎鬚を伸ばした男は、映画監督の馬山峰人（38歳）だ。

すると、馬山の背後にいた鷲鼻の細い男が「いやいやいやいや」と否定した。

「この映画は僕の音楽が売りのはずだけど……」

その男は、作曲家の阿賀田力（37歳）だった。三人とも誰もが知る有名人で、新一たちは驚いた。世良だけは誰一人知らないようで、きょとんとしている。

「なに言ってんだ、主演の俺があっての……」

「違う違う、映画は監督のものって昔から……」

（マジで有名人ばっかだな……）

笑いながら主張し合う三人を、新一たちがぽかんと見ていると、

「そう、彼らが私の大学時代からの悪友よ！」

景子が教えてくれた。

「それで？　暗号っていうのは……」

「ああ、そうだったわね。脚本家の西木君が持ってるから、これからみんなで彼の部屋に行きましょ！」

景子に言われて、新一たちは同じ階にある西木の部屋に向かった。

１５０２号室のドアチャイムが鳴り、メガネをかけた小太りの男が出てきた。

「ああ……これが先週私のところに届いた暗号だよ」

西木太郎（38歳）は新一たちを部屋に入れ、ノートパソコンや脚本が置かれた窓際の丸テーブルから長方形の紙を手に取って見せた。

「お預かりします」

「その暗号が入っていた封筒には、干からびたヤツデの葉も同封されていてね……」

西木の言葉を聞きながら、新一は手にした暗号が書かれた紙をまじまじと見つめた。

「すみません、この暗号の頭に付いてる黒い四つの四角って、なんだかわかります？」

新一がたずねると、蘭たちの後ろにいた井隼と阿賀田が教えてくれた。

「それなら、その暗号を考えた出栗って奴のマークだよ！」

「アイツ、ノートやバッグにもそのマーク入れてたね」

「なら、その出栗って人に聞けば暗号の意味がわかるんじゃ……」

世良の素朴な疑問に、西木は「もう聞けないよ」と首を横に振った。

「彼は先月、清水の舞台から飛び降りて死んでしまったから……」

「え？」

「だから、その暗号は彼が自殺する前に私に宛てて書いた伝言かと思って、解読してほしかったんだが……」

西木に言われて、新一は再び暗号の紙を見た。

暗号を書いた人物は、すでにこの世にはいない――。

新一たちの間にどことなく重い空気が流れる。すると、馬山が「なぁ、君たち」と声をかけた。

「これから私たち、このホテルのラウンジで食事するんだが、詳しい話が聞きたいなら一緒に来るかい？」

「いや、遠慮しときます」

新一はやんわりと断った。

「じゃあ暗号が解けたらメールちょうだいね」

「わかりました」

新一は景子とメールアドレスの交換をして、蘭たちと部屋を出た。

自販機コーナーがある階までエレベーターで降りた新一たちは、それぞれ飲み物を買うと、そばにあったテーブルについて暗号の紙を見た。

横長の紙には中央に横線が引かれていて、その上下の余白に『坤』『螂』『筋』などの漢字が一文字ずつバラバラに並んでいた。中にはなぜか反転している漢字もある。

「ウ～ン、ずいぶんスッカスカの暗号だよね」

「文字の並びもイビツだし……」

園子と蘭が考え込んでいると、自販機からペットボトルを取り出した世良がそれをシャカシャカ振りながらテーブルに近づき、新一が持っている暗号の紙を覗いた。

「そのイビツになったところのスペースに、意味があるんだと思うけど……」

蘭が「そういえば」と隣の新一を見る。

「同封されてたヤツデの葉ってなんだろ？」

「んー……ヤツデっていったら、天狗が持ってる羽団扇によく似てるよな」

そのとき、新一のスマホが鳴った。メールの着信音だ。

ズボンのポケットからスマホを取り出して画面を見ると、景子からメールが届いていた。

「ったく、まだ解けてねぇって……」

新一は苦笑いしながらメールを開いた。

【件名：無題
新一君早く！　西木君の部屋に!!】

景子の緊急メールに、新一たちはエレベーターに飛び乗って十五階に向かった。

エレベーターの扉が開くやいなや飛び出して、廊下を走っていく。

すると、西木の部屋のドアが開いていて、青ざめた景子たちが部屋の方を向いていた。

「どうかしましたか!?　景子さん!!」

新一は固まっている景子たちの肩越しに、部屋の中を覗いた。

「!?」

部屋の中央——ユニットバスの扉の前辺りで、椅子に左足をかけた西木が仰向けになって倒れていた。部屋の奥の窓が開いていて、床には大量の書類が散らばっている——。

新一は倒れている西木に駆け寄った。

（刺殺か……それにこの頭のコブ……）

すでに事切れた西木のニットは、胸の辺りが真っ赤に染まっていた。さらにその額には、二つのコブができている。

新一のそばで西木の遺体を観察していた世良は、「なぁ」と部屋の入り口に立つ井隼たちを振り返った。

「さっき、みんなでラウンジで食事するって言ってなかったか？」

「あ、ああ……あの後、それぞれ自分の部屋に一旦戻って支度してから……」

「十分後にこの部屋に集合して行こうってことになってたんだけど、いくらドアチャイムを鳴らしても返事がないから、ボーイさんにドアを開けてもらったらこの有様で……」

井隼に続いた馬山は答えながら、倒れている西木に目をやった。

「………」

新一が座り込んで西木の遺体を見つめていると――肩にポタリと何かが落ちたのを感じた。

振り返って自分の肩を見る新一に、世良が「どうした？」とたずねる。

「いや、肩に何か……」

再び上から何かが落ちてきて、新一は天井を見上げた。世良もつられて上を見る。

「!?」

新一や世良をはじめ、天井を見上げた者たちの表情が一瞬凍りついた。

見上げた天井には、鮮やかな赤い大きな血しぶきが広がっていたのだ。
「まるで血天井だな……」
昼間に見た養源院の天井を思い出した世良

がつぶやくと、新一は「ああ」とうなずいた。

「しかも、天井についた血の足跡が、窓まで続いている……」

天井には血しぶき以外に足跡が残っていた。その足跡は点々と続き、開いた窓のカーテンボックスにまでべったりとついている。

世良は床に散らばる書類をよけながら窓まで歩いていった。

「おそらく犯人は、被害者を天井まで吊り上げて斬殺し、窓まで天井を歩いていって、この十五階の窓から消え失せたかのように見せたかったんだろうな。まるで、飛翔可能な翼と、人の体を自在に操る神通力を兼ね備えた化け物の仕業に……」

窓の下を覗き込んだ世良は、部屋の入り口の方を振り返った。

世良の言葉を聞いた景子の頭に真っ先に浮かんだのは、大きな翼を広げて木の上に立つ天狗の姿だった。満月を背にした天狗の血走った眼が、ギョロリと怪しげに光る――。

「そ、それって、天狗……？　西木君は天狗に殺されたっていうの……？」

「バ、バカなこと言うな!!」

声を荒らげたのは井隼だった。景子が「だって……」とうつむく。

「空が飛べて神通力を持ってる妖怪っていったら……」

「な、なにいってんだよ！　そんなの現実世界にいるわけないだろ!?」

阿賀田も否定する。

「でもそうとしか——」

言い返そうとする景子を、馬山の冷静な声がさえぎった。

「天狗はファンタジーだ。この前まで我々が撮ってた映画ぐらいにしか存在しないよ。そんな架空の魔物に西木は殺されたっていうのか？」

そう言って西木の遺体を振り返り、景子たちもつられて目を向ける。

遺体のそばに座り込んだ新一は「でも」と口を開いた。

「犯人は、是が非でも天狗の仕業に見せかけたいようですよ？」

ポケットからハンカチを取り出すと、西木の上着の胸元からスッと何かをつかみ出した。

「被害者の懐に、天狗がよく持っているようなヤツデの葉が入っていますから…それと一

緒に…新たな暗号も……」

新一がハンカチでつかみ出したヤツデの葉には、暗号が書かれた紙がピンで留められていた。一枚目の暗号と同様に、黒い四つの四角の横に漢字がイビツに並んでいる。

「もしかしたら、先週西木さんに届いたというこれに似た暗号は、殺人予告だったのかもしれませんね」

「さ、殺人予告って……」

新一の言葉に、井隼は目を丸くした。

「おいおい、新しい暗号が出てきたってことは……」

「また誰かが殺されるっていうの?」

とたずねる景子たちを、世良は訝しげな目で見た。

「あんたたち、この暗号を考えた出栗って奴に恨まれてたんじゃないのか？」

一瞬、景子たちの表情が凍りついた。

「そ、そんなことはないよ……なぁ？」

同意を求めるように井隼が仲間を見ると、阿賀田が「あ、ああ……」とうなずく。

彼らは明らかに狼狽しているようで、世良は疑わしげに見つめた。新一も同じ気持ちだった。

「まあなんにせよ、週末に公開されるあなたたちの映画、『紅の修羅天狗』に不満を持った人物の犯行でしょうね。その脚本がこんなに床に散らばっているんだから」

新一はそう言って、床を埋めつくすように散乱した紙を見回した。

「ところで、脚本の所々に貼られているツルツルした紙はなんですか？」

散らばった脚本の紙には、文字が書かれた小さな紙がいくつも貼られていた。

「ああ、それは付箋だよ」

答えたのは馬山だった。

「貼りやすくてはがしやすいって、西木は最近よくそのタイプの付箋を使っていたんだ。映画がノベライズされるから、脚本をホテルに持ち込んで手直ししてたからね」

「映画公開までに仕上げるって、張り切ってたのに……」

景子が涙ぐみながらつぶやき、一同は悲しげにうつむいた。すると、馬山のスマホが鳴った。「ちょっと失礼」と断り、部屋を出ていく。

世良は「なぁ」と景子たちに歩み寄った。

「この部屋に十分後に集合して食事に行く予定だったって言ってたけど、最初にこの部屋に来たのは誰だ？」

「そ、それは俺と阿賀田だけど……」

井隼が振り返ると、阿賀田は小さくうなずいた。

「来たときはもうドアベルを鳴らしても返事はなかったよ……」

二人の証言を聞いて考え込む世良の後ろで、新一はおもむろに立ち上がると、天井を見上げた。

「それが本当なら、その十分間で犯人は西木さんを殺害し、天井にこの血の跡をつけたことになるな」

「ああ……」世良も天井を見上げた。

「そうだな……さっきボクたちがこの部屋に来たときは、こんな跡はなかったからな」

新一は「それで？」と景子たちを振り返った。

「警察に連絡したんですか？」

すると、廊下で電話をしていた馬山が開いたドアからヒョイと顔を覗かせた。

「ああ、それならこのドアを開けてくれたボーイさんが通報してくれて、京都府警の綾小路とかいう警部さんが来てくれると、今連絡があったよ」

「京都府警の綾小路警部ねぇ……」

訝しげに警部の名前をつぶやく世良に、新一はフッと微笑んだ。

「その人ならシマリスを連れてる妙な警部だけど、割と切れる人だから心配ねぇ――」

ねぇぜ、と言おうとしたとき——ドックン!!

突然、新一の心臓が大きく脈を打った。強烈な衝撃が走って、苦しそうに身をよじる。

「ん？　どうかしたか？」

「い、いや……なんでもねぇ……」

顔を上げようとしたとたん、さらなる激痛が襲いかかってきて、新一はクッ……と歯をくいしばった。

張り裂けそうな心臓の痛みと同時に、体の芯が燃えるように熱い——!!

（やべぇ……薬の効果が切れちまう……！）

汗をびっしょりかいて苦しそうに息をつく新一に、世良は「大丈夫なのか？」と再び声をかけた。

「あ、ああ……とにかく、あとは任せたぜ……世良」

「お、おい！」

新一はふらつきながらも何とか部屋を出た。廊下に出ていた馬山たちが、心配そうに新一を見る。

「き、君。大丈夫なのか？」

「ええ……後は警察に……、世良を残しますので、何かあれば……彼女に……」

そう言ってエレベーターホールに向かおうとすると、廊下で園子と一緒にいた蘭が「新一」と声をかけた。

「顔、真っ青だよ」

「中、そんなにひどいことになってるの？」

勘違いした園子が、深刻な顔でたずねる。

「あ、ああ……だから、オメーらは中に入るなよ……」

「……新一？」

ふらふらと歩き出した新一の後を蘭が追おうとすると、

「ついてくるな！」

険しい顔をした新一が振り返った。

「風邪がぶり返しちまったみてぇなんだ……うつったらまずいだろ？　まあ一晩寝りゃあ治るから心配すんな……」

激しい痛みに耐えながら何とか明るい口調で言うと、新一は壁に手をつきながら歩いた。

(蘭の前でコナンに戻っちまったら、やべぇからな……)

心配そうに新一を見送る蘭たちの背後で、世良が部屋の入り口から顔を覗かせていた。

さっきまでの気遣わしげな表情は消え、探るような目で新一を見ていた。

3

中道が自分の部屋でクラスメイトの会沢たちとポーカーをして盛り上がっていると、ピンポーンとドアチャイムが鳴った。

「おい、先生の見回りじゃねぇか？」

「マジ!?」

「やべぇぞ、工藤もいねーし」

「とにかく出ろよ、中道！」

会沢たちに言われて中道が慌ててドアを開けると、新一が倒れ込むように入ってきた。

「なんだ、工藤かよ」

「わ、悪いな、中道……ルームキー、部屋の中に忘れちまって……」

新一がよろよろと部屋の奥へ進むと、トランプを持った会沢たちが手前のベッドの脇に座り込んでいた。

「おどかすなよ」

「先生の見回りかと思ったぜ」

「それでどうだった？　大女優、鞍知景子に会った感想は？」

「そ、その話なら明日にしてくれ、とにかく疲れたから、もう寝る……」

新一は窓際のベッドに回り込み、布団をめくって横になった。

「起こすなよ……」

と布団を頭まで被る。

「なんだよ。みんな楽しみにしてたのに」

「中道が興味あんのはアイドルだけだろ？」

「とにかく続きやろーぜ」

「さっきの中道の一抜けはノーカンな」

中道たちはわいわい言いながら、再びポーカーを始めた。

布団にくるまった新一は身をよじり、押し寄せる心臓の痛みに必死に耐えていた。

体中の血液が煮えたぎるように熱くなり、灼熱の体からシュウシュウと白い煙が立ち昇る――。

「ぐあっ！」

凄まじい衝撃のあまりに声を漏らすと、トランプをしていた中道が立ち上がった。

「おい、大丈夫か？　工藤」

「ほっとけ、ほっとけ」

「どーせ久々に女房に会えて興奮してんだよ」

中道は「そりゃそーか」と笑って、腰を下ろした。その横で、大川と石崎が「蘭～」「新一～」と抱き合うと、ギャハハハ……と笑いが起きる。

中道たちの笑い声が部屋に響く中、布団の下で新一は体が小さくなり、コナンの姿になっていた。

布団からこっそり顔を出して、フゥ……と息をつく。

（つたく。好き勝手にやりやがって）

中道たちの方をジロリとにらむと、ベッドの下に向かって「おい」とささやいた。

「そろそろいいぞ」

すると、ベッドの下からニット帽にサングラスをかけた服部平次がヒョコッと顔を出した。昼間、清水寺で見かけた怪しい人物は、平次だったのだ。

「言うとくけどなぁ、工藤。こらメッチャ貸しやからな」

「ああ、わあってるよ、だから絶対バレないでくれよ」

「ああ、任せとき！」

平次はそう言うと、ベッドの窓側の方からこっそり出てきた。ベッドから降りたコナンと入れ替わるように、布団の下に潜り込む。

コナンがベッドサイドでぶかぶかになったジャージの袖を折り畳むようにまくっている

と、トランプをしていた中道が突然ベッドの方を振り返った。

「あ、そうそう」

「なぁ、工藤、寝る前にロンドンで毛利に告ったときの話を聞かせろよ！」

コナンと平次はギクリとした。平次が慌てて布団にくるまる。

「テレるなよ、工藤ォ〜♥　まだ寝てねぇんだろ？」

立ち上がった中道はニヤニヤしながら、平次がいるベッドに近づいてきた。

「なぁ、アレか？　チューとかしたのか？」

ベッドの窓側に隠れていたコナンは、声を出そうとしてハッと気づいた。

（やべェ……変声機、枕の下だ！）

「答えねぇと布団めくっちゃうぞォ？」

中道が布団に手をかけようとしたとき――平次は枕元にある蝶ネクタイ型変声機に気づいた。

「オウ！　もちろん一発かましたったに決まってるやろ？　ボケ!!」

新一の声でとっさに答えると、輪になって座っていた会沢、石崎、大川が持っていたトランプを落とした。

「し、したのか？」

「キス……」

「……ってか、なんで関西弁？」

中道がきょとんとする。

「郷に入っては郷に従えや！　お前らも関西弁使えるようになっとけよ!!」

無茶苦茶な理屈だが、勢いに押された中道は「お、おう」とうなずいた。

「チューしたのかー……」

「いいなー……」

彼女いない歴十七年の会沢たちがうらやましそうにつぶやく。

ベッドの脇に隠れていたコナンは、フウ……と息をついた。何とかごまかせたからいいものの、明日からは変声機を肌身離さず持っておかなければと肝に銘じる。

（しっかし、灰原の言いつけを守るのにも苦労するぜ……）

コナンはベッドサイドにもたれながら、灰原に解毒薬をもらったときのことを思い返した。

『いーい？　重要なのは次の三つ！』

白衣姿の灰原は三本の指を立てて見せた。

『薬の効果が切れたら、すぐに次を飲まずに八時間は間を空けること！　幼児化してる間は周囲の人に気づかれない対策を何か立ててること！　元の工藤新一の体に戻ったら、目立つ行動は避けること！　あと、あんまりイチャイチャしないこと！』

うんうんとうなずきながら聞いていたコナンは、最後の要点に『ん？』と眉を寄せた。

『イチャイチャって……今、四つ要点言ってなかったか？』

コナンがたずねると、灰原は恥ずかしそうにプイッと顔を背けた。

『ま、まあ四つ目はどーでもいいけど、最初の三つを守るのがAPTX4869の解毒薬をあげる条件よ！』


コナンはベッドの下を覗き込むと、腹ばいになって潜り込んだ。

ベッドの真ん中辺りでゴロリと仰向けになったコナンは、ふと暗号のことを思い出した。

(後八時間……長ぇなあ……)

(そうだ！　一応、服部にも見せておくか)

ポケットからスマホを取り出し、メール画面を開いて新規メールを打っていく。

少し経って、平次のポケットに入っていたスマホが震えた。

布団の中でうつ伏せになっていた平次は、ポケットからスマホを取り出してメール画面を開いた。

コナンから送られてきたメールには、暗号の写真が添付されていた。

なんや。暗号かいな——平次はスマホを横にして写真を画面いっぱいに表示させると、暗号をじっくりと見つめた。

その頃、西木の部屋に鑑識員を連れた綾小路文麿警部が到着した。

鑑識作業が進められる中、世良が綾小路に新一の言葉を伝えると、綾小路は「ホー」と意外そうな顔をした。

「高校生探偵の工藤新一君が私のことを……」

「ああ、割と切れる警部だから心配ないって」

「そら、おーきに。せやけど変やなァ、工藤君とは会うたことあらへんのに……コナン君にでも聞かはったんやろか？」

と首を傾げる綾小路の肩の上を、シマリスがちょこちょこと動き回る。

ホントにシマリス連れてる――普段常識にとらわれない自由奔放な世良も、さすがに目が点になった。

（……つか、殺人現場にペット持ち込む刑事ってどーなんだ？）

じっと見ている世良を気にすることなく、綾小路は西木の遺体に近づいた。

「しかし、えらい殺され方ですな…、心臓刺された上に、タンコブ二つもつけられはって……」

西木の遺体をしみじみ見ると、景子たちが立っているドアの方を振り返った。

「とにかく現場を詳しゅう調べるのにしばらく時間がかかりますから、あんさんたちは自分の部屋で大人しゅう待っといてください。なにしろ被害者も容疑者のあんさんたちも有名人。夜が明けたらえらい騒ぎになると思いますので……」

綾小路に容疑者呼ばわりされた景子たちは複雑そうな顔をしていて、世良は険しい目で彼らを見つめた。

4

夜が明け、ビルの谷間から朝日が昇った。

帝丹高校の生徒が宿泊するホテルの前の通りでは、早朝からジョギングする人や犬を連れた人がすれ違っていく。

目が覚めたコナンは、大きなあくびをした。そして寝ぼけ眼で起き上がろうとして――

ゴンッと勢いよくベッドのフレームに頭をぶつけた。さらにその反動で後頭部を床に打ちつける。

「イテテ……」

立て続けに頭をぶつけて、コナンはようやく自分がベッドの下にいることに気づいた。

（そういえば、ベッドの下で寝てたんだったな……）

ベッドの下から出てくると、布団の隙間から平次の寝顔が見えた。さらに奥のベッドには、布団をひっぺがして寝ている中道の姿がある。

コナンは腕時計で時間を確認すると、ポケットからピルケースを取り出した。

（よーし、八時間経ったから、お薬の時間ですよ〜♪）

灰原にもらった解毒薬を口に入れる。するとすぐに心臓が大きく脈を打った。

ドックン、ドックン、ドックン、ドックン――!!

激しい衝撃がうねり押し寄せてきて、

「くっ……くあっ！」

耐え切れずに声を出すと、ベッドで寝ていた中道がビクッと動いた。うーん……と唸って体をボリボリ掻いたかと思うと、すぐにまた寝息を立てる。

ベッドの横で元の姿に戻った新一は、フゥ……と息をついた。

解毒薬を飲んだときに襲いかかる凄まじい衝撃と痛みは、毎回意識がぶっ飛びそうになり、何度経験しても決して慣れることはない。

(オレ、こんなんで修学旅行終わるまでもつかなぁ……)

不安になりながらも立ち上がると、中道が寝ているベッドの奥で会沢たちが雑魚寝しているのが見えた。

(おいおい。結局コイツら、自分たちの部屋に戻ってねぇのかよ)

ったく、とあきれていると、スマホが鳴った。メールの着信音だ。

こんな朝っぱらから誰だ——ポケットからスマホを取り出して画面を見ると、それは景子からのメールだった。

【件名:無題
新一君助けて! 今度は阿賀田君が大変なの!! 1504号室に早く!】

「おい服部! 起きろ!!」

新一は布団を剥ぎ取って、平次の耳元で叫んだ。けれど、

「あかん……もう食えへんでェ……」

平次はよだれを垂らしながらムニャムニャ寝言を言っている。

「服部！　事件だ!!」

もう一度叫ぶと、平次はようやく「ふぁ？」と目を開けた。


新一と平次が駆けつけると、１５０４号室の前に景子、井隼、馬山、そして綾小路警部が集まっていた。

「ホンマに阿賀田さんはそんな声を上げてはったんですか？」

綾小路に訊かれた景子が「はい」とうなずく。

「隣の部屋にいた私にも聞こえるぐらいの大声で……助けてくれ〰〰殺される〰って」

「まじかよ、それ!?」

駆けつけた新一が「景子さん!!」と声をかけると、景子たちが振り返った。

「新一君！」

「あんさんが工藤新一君ですか……」

綾小路は新一を一瞥すると、隣に並ぶ平次に目をやった。

「おや？　後ろにいてはるのは確か……大阪府警本部長の息子さんの服部平次君。なんであんさんまで？」

「く、工藤にホテルに遊びに来い言われて、たまたま来てたんや！　それより何があってん？」

「この部屋の阿賀田さんが奇妙な声を上げてはって、今、ボーイさんに部屋の鍵を開けてもらうところです」

ドアの前に立っていたボーイがカードキーを差し込むと、小さな電子音が響いた。

綾小路が「おおきに」と礼を言って、ドアに近づく。

「まあどうせ昨夜の事件現場を見たせいで、悪い夢にうなされはったんやと思いますけど。

――阿賀田さん？　大丈夫ですか？　入りますよ？」

室内の阿賀田に声をかけた綾小路は、ドアノブに手をかけてドアを開けた。

「阿賀田さん？」

薄暗い室内に一歩足を踏み入れた綾小路は、ありえない光景に目を見張った。綾小路の肩越しに部屋を覗いた新一と平次も大きく目を見開く。

ベッドに片足をかけた阿賀田が仰向けで床に倒れていて、その真上に——巨大な天狗がいた。天井から上半身を出した天狗が牙をむき出し、血走った大きな目で阿賀田をにらんでいる。

「ゆ、許して……許してくれよ……」

床に倒れた阿賀田は、真上から迫り来る天狗に懇願するようにつぶやいた。

(て……天狗!?)

新一は目を疑った。空想上の存在である天狗が、目の前にいるのだ。

「おい！　何か武器持ってないんかい!?」

平次に聞かれた綾小路はハッと振り返った。

「あ、いや……」

「くそ!!」

新一と平次は天狗に向かって駆け出した。同時に、阿賀田がテーブルにあった灰皿をつかむ。

「く、来るなァ!!」

阿賀田が天井の天狗に灰皿を投げつけた。

火のついたタバコが入っていた灰皿が天狗に当たった瞬間――天井にボワッと炎が燃え広がった。

(え!?)

燃え広がった炎が一瞬にして消え

たかと思うと、そこにもう天狗の姿はなかった——。

「き、消えた……」

「燃えて消えやがった⁉」

「ウ、ウソでしょ⁉」

部屋の入り口で景子たちが騒ぐ中、新一と平次は呆然と焦げ跡が残る天井を見上げた。

「おい、工藤……オレら、まだ寝ボケてるんとちゃうやろな……？」


ホテルの最上階にある朝食ビュッフェ会場では、帝丹高校の生徒たちが楽しそうに料理を選んだり、テーブルについて料理を食べたりしていた。

「て、天狗⁉」

一人でテーブルについてコーヒーを飲んでいた新一は、料理を載せたトレイを持ってきた世良に今朝の出来事を話した。

「天狗が阿賀田さんの部屋に出ただと⁉」

「ああ。まるで特撮映画みたいにな」

世良はトレイをテーブルに置いて新一の隣に座ると、「それで？」と聞いた。

「その天狗、その後どうしたんだ？」

「阿賀田さんが灰皿を投げつけたら、燃えて消えちまったんだよ」

「も、燃えて消えた!?　マジで特撮じゃないか！」

世良は目を丸くした。信じられないという顔つきをしている。

確かにこの目で見なければ、何とも滑稽な話だろう——と新一は思った。

「阿賀田さんが言うには……西木さんが殺害されたあと、自分の部屋に戻って休もうと思ったけどなかなか寝付けず、バーで一杯飲んでから寝ようとしたら飲みすぎて泥酔し、気がついたら自分の部屋に戻っていた。寝起きの一服でタバコに火をつけたときに妙な気配を感じ天井を見上げたら、天井から巨大な天狗がにらんでいて、椅子から転げ落ちて大声を上げたそうだ」

新一は阿賀田から聞いた経緯を細かく説明した。

「んで、その声を隣の部屋の景子さんが聞き、彼女の連絡を受けて駆けつけたオレたちも、その天狗を目撃したってワケさ！」

事件の一部始終を聞いた世良は、少し考え込んだ。

「いつの間にか部屋に戻ってたってことは……」

「あぁ…バーから部屋に戻る途中、誰かに介抱されたような気もすると言ってたよ…」

「じゃあ、その誰かが阿賀田さんの部屋に、何かを仕掛けた可能性もあるな……」

「でもそんな仕掛けは見当たらなかったぜ？」

「じゃあ暗号は？　新たな暗号はあったんだろ？」

「いや、それもなかったよ」

新一が言うと、世良はうーん……と両腕を組んだ。コーヒーをすった新一が「ただ……」と付け加える。

「殺害された西木さんと同じく、阿賀田さんも額にタンコブを二つ付けられてたようだけどな」

「タンコブっていえば……鞍知景子さんも撮影中にタンコブ作ったって言ってたよな？」

「ああ。映画のラストシーンをやり直したいって監督に頼み込んで、つい先日撮り直したときに転んだらしいけど……」

新一は説明しながら、今朝会ったときの景子を思い出した。さすがに起き抜けだったからか、昨夜のような帽子は被っていなかった。

「さっき会ったときはまだオデコが少し腫れてたから、転んだのは本当だと思うぜ。今思えば、誰かに背中を押されたかもしれないって言ってたよ。まぁ転んだときは昔話の『コブ取り爺さん』みたいって笑ってたらしいけど……」

「コブ取り爺さんのコブって、ホッペじゃなかったか？」

「地方によっていろいろな伝わり方があるみたいだぜ」

一般的に知られている『コブ取り爺さん』は頬にコブがあるが、地方によっては額にコブがある爺さんが出てくる民話もある。さらに言えば民話によっては、コブを取るのは鬼だったり天狗だったりするのだが……。

「それより、西木さんが殺害された現場の天井の血って、本当に彼の血だったのか？」

新一がたずねると、世良は「いや」と首を横に振った。

「あの後警察が調べていったけど、放射状に飛び散った血の跡の中心部分――つまり君の肩に垂れた血だけ本物の西木さんの血で、あとはほとんどずいぶん前に付けられた絵の具だったみたいだよ」

（やっぱりそうか！）

自分の推理どおりだったことを知り、新一は口の端を上げた。

「あと、西木さんを刺した凶器の刃物は、現場では発見できなかったよ。てっきり散乱した原稿の下に埋もれてると思ったんだけどな……」

（となると、犯人はまだ凶器を……）

新一が考え込んでいると――バンッ！

いつの間にか現れた蘭が、料理を載せたトレイを乱暴にテーブルに置いた。

「ら、蘭？　どした？」

「どーしたもこーしたもないわよ!!」

蘭はトレイから手を離して体を起こすと、真っ赤になった顔を近づけた。

「ロンドンでわたしと新一がディープキスしたことになってるんだけど、どーいうこと!?」

「はぁ!?」

眉をつり上げている蘭の後ろで、トレイを持った園子がイヒヒ…と笑う。

「中道君が変な関西弁で言いふらしてるのよ！　あいつらもうブッチューってやってもうたんでんがなってね♥」

園子に言われて、新一はハッと思い出した。

『オウ！　もちろん一発かましたったに決まってるやろ？　ボケ!!』

昨夜、ホテルの部屋で布団に潜り込んだ平次が、蝶ネクタイ型変声機を使って新一の声で答えたのだ。

「あ、いや、あれはオレの声だけどオレじゃなくて……」

「はぁ～～？」

蘭は思いっきりあきれた顔をした。

「オレの声だけどオレじゃない？　何わけのわかんないこと言ってんのよ⁉　ちゃんと説明しなさいよ！」

「せ、説明って……んなことよりメシ食おうぜ、メシ！　このウインナーなんか最高だなー！」

苦笑いしながらフォークでウインナーを刺す新一の横で、世良は「なぁ」と園子に向いた。

「なんで関西弁なんだ？」

「さあ？　新一君に言われたらしいよ？『郷に入っては郷に従え』って」

世良は「へぇ～……」と意味ありげに微笑み、新一を見た。

「そういえば、何で袖を折り畳んでまくってるんだ？」

「へ？」

世良に言われて、新一は自分の腕を見た。コナンになったときに袖が長かったので、折り畳んでまくったのが、そのままになっていたのだ。

「普通、袖が邪魔ならこうたくし上げるだろ？」

世良はそう言って、自分のジャージの袖をつかんでグイッと引き上げてみせた。

「あ、いや、なんとなく……」

新一が笑ってごまかそうとすると、世良は全てを見透かすような鋭い眼光を向けた。

「なんだかまるで、そのジャージを小さな子どもに着せてたみたいだな？」

「バ、バーロ！　そんなワケねーだろ？」

新一は笑いながら、まくり上げたジャージの袖を戻した。

その横で、ふくれっ面をした蘭が椅子に座った。ハハハ……と笑っている新一をジロリと見て、背後の壁に貼ってあるポスターに目を留める。

「景子さんが出る映画のポスターだ」

蘭に言われて、新一、世良、園子も壁のポスターを見た。

映画『紅の修羅天狗』のポスターは、ちりばめられたヤツデの葉を背景に、右から『音

楽・阿賀田力』『助演・鞍知景子』『主演・井隼森也』『脚本・西木太郎坊』『監督・馬山峯人』と五人の名前と顔写真が並べられていた。

「紅の修羅天狗かぁ……」

世良がポスターを見ながらつぶやくと、園子が「でも」と口を開いた。

「脚本の西木さんがあんなことになっちゃったから、公開されないかもね……」

「うん……」

蘭がしんみりとうなずく。

「どんな話だったんだろうな?」

世良が園子と蘭を見て言うと、コーヒーカップを持った新一がおもむろに話し出した。

「時は江戸時代……京都奉行所に倉之介という与力（町奉行の補佐役）がいて、将軍様に献上する珍しい品はないかと奉行に相談されて悩んでいた……」

それを聞いた妻の真菜は、ある日、金色に輝くヤツデの葉を夫に見せてこう言った。

『山菜採りの折に見つけたヤツデでございます！　神々しいのでいつもは手を合わせ拝んでいたのですが、あなたのために取って参りました』

『これは将軍様もお喜びになるだろう』と倉之介は真菜をねぎらった。

しかしその日以来、京都の町に夜な夜な奇怪な魔物が出没し、人々を食い殺し始めた。

なぜならそのヤツデは昔、天狗が魔物を封じ込めた封印だったのだ――。

そんな最中、天狗が倉之介の夢枕に立った。

『魔物は自分の封印を解いた主が再び自分を封じるのではないかと恐れ、その主を探し出して亡き者にしようとしている。ならば、お前の妻の懐に金色のヤツデを忍ばせて魔物に食わせてしまえば、再び封じることができる』

『そんなことはこの命に代えてもできぬ!!』

夢の中で倉之介が断ると、天狗は笑って答えた。

『ほう……命を懸けると申すか？　ならばヤツデを手にして清水の舞台から身を投げよ。さすれば道は切り開かれるであろう』

天狗の言葉を信じて清水の舞台から飛び降りた倉之介は、金色に輝く天狗となり、魔物に食い殺される寸前の真菜を助け、凄まじい神通力で魔物を退治した。

だが、天狗になってしまった倉之助の姿はもう真菜には見えなくなっていた。

夫が突然姿をくらましてしまい、涙に暮れる真菜に声が木霊する。

『私に会いたくば、紅葉が最も紅色に染まる夕暮れ時に、天狗の花を持って清水の舞台へ参れ』

言われたとおり、真菜がテングクワガタという花を摘んで清水の舞台へ行くと、天狗となった倉之介が現れ、事の次第を話した。

『でもどうして夕暮れ時なのですか？　陽の高いうちから会えたら、もっとあなたと長い間いられるのに』

『私の顔は魔物に対する怒りで赤くなり、体中魔物の返り血で真っ赤に染まっている。辺り一面赤ければ、それを少しぐらいは隠せるだろ？』

倉之介はそう答え、別れのくちづけを交わしたあと、暮れゆく夜の闇に消えていく――。


「……って、哀しい物語だよ」

新一が説明し終えると、園子は「すっごーい!!」と立ち上がった。

「なんでそんなに詳しく知ってるの？」

「まだ公開前だよな？」

蘭と世良に聞かれて、新一はポケットから取り出したスマホを操作し始めた。

「実はこの映画、あの五人が祇園芸術大学のときに撮った卒業制作のリメイクで、ネットにストーリーがバッチリ載ってたよ！」

そう言って見せたスマホの画面には、『紅の修羅天狗』のストーリーを掲載したサイトが表示されていた。

「まあでも、その卒業制作のおかげであの五人は有名になったらしいから、あの人たちの中に犯人がいるとは考えにくいけど……」

「あ、そういえば……」

映画のストーリーを聞いた蘭は、昨日のことを思い出した。

「清水の舞台で景子さんに会ったとき、押し花を風に飛ばしてたよ！　あれってその話に出てくる天狗の花だったかも……」

「ほ、本当か、それ？」

新一が目を丸くすると、蘭は「うん」とうなずいた。

「『待っててね、出栗君。もうすぐだから……』ってつぶやいてたと思うけど……」

蘭の言葉に、新一は眉をひそめた。

（出栗君って誰だ？　そんな奴スタッフにいなかったよな……）

スマホで映画スタッフを検索してみたが、出栗という名前は見つからない――。

蘭はトレイに置いたジュースのグラスを手に取ると、椅子の背もたれによりかかってストローをくわえた。

ジュースを飲みながら、難しい顔でスマホを見ている新一をチラリと見る。

（真菜と倉之介がくちづけを交わした……清水の舞台……）

蘭は、新一が説明してくれた『紅の修羅天狗』のストーリーを思い返した。同時に、中道が言いふらしていたことを思い出す。

ロンドンで新一とわたしがキスをした――。

もちろんそれはデタラメだけど、どうやら新一が中道にそう言ったらしい。

どうしてそんなことを言ったんだろう……。

新一を見ていた蘭は、ふと新一の口元に目がいった。

新一のくちびるを見た瞬間――頭の中にある思いがよぎって、思わずストローから口を離した。
グラスをトレイに置いて、再び新一を見る。
（もしかして……新一もキス、したいのかなぁ……）

5

修学旅行二日目。

帝丹高校の生徒を乗せたバスは京都市内を回った後、嵐山・渡月橋近くの駐車場に停められた。

「では皆さん。午後からは各班ごとの自由行動になりますので、班ごとに予定したコースを回り、午後六時までにホテルに戻るように！」

教師が言うと、バスの前に集まった生徒たちはわらわらと散らばりだした。

「おい、聞いたか？　工藤」

にやけた顔をしながら新一に歩み寄ってきた中道は、こっそり耳打ちした。

「ホテルの大浴場、自撮り棒を駆使したら女湯が覗けるってよ！」

「マジで？」

「マジマジ！」

中道は談笑している世良、園子、蘭を見た。

「まぁ世良は胸がちょっとアレだけど……毛利なんかすげーことになってんじゃねぇか？」

と蘭の胸を見ながらニヤニヤする。

「ま、まあな……」

新一がうっかり相づちを打つと、中道はギョッと目を見開いた。

「まあなってお前、チューした上に一緒に風呂に入ってんのかよ⁉」

聞かれた新一は中道からスッと目を逸らし、視線を宙に泳がせた。

「は、入ってるわけねーだろ！」

「なんだよ今の間は⁉　正直に言えよ！　コラ！」

笑ってごまかす新一に、中道がヘッドロックをかける。

「だから入ってねーって！」

（たまにコナンで入ってるけど……）

心の中でつぶやいた新一は、中道の腕の中で思わず頬を赤く染めた。

「ほら、吐け！　正直に吐けば許してやるぞ！」

そのとき――新一のポケットに入れたスマホが震えた。

「ちょ、タンマ！　電話、電話！」

中道の腕から逃れた新一は、ポケットからスマホを取り出して画面を見た。平次からの着信だ。

「ちょっとわりぃ」

新一は中道に声をかけると、少し離れてから電話に出た。

「もしもし？　服部か？　また何かあったんじゃねーだろうな」

「大変や」

ホテルのロビーで新一に電話をかけた平次は、正面玄関の外を見た。

「マスコミがホテルの前に押し寄せて、えらい騒ぎになってんで。まあ昨夜亡くなったんが直木賞を取った西木太郎やからしゃーないけど……」

正面玄関の外では、綾小路が集まった記者に取り囲まれていた。

「こんな騒ぎになってしもて、そっちは大丈夫か？　先生が修学旅行を中止して東京に帰るとか言いかねへんで？」

『ああ、今のところ大丈夫だ。先生たちは事件のことをあえて触れないようにしてるみたいだし、西木さんが殺された部屋とオレらが泊まってる部屋はかなり階が離れてるからな』

新一の言葉を聞いて、平次はホッとした。

「それよりちょっと抜けられへんか？」

『え？』

平次はロビーにいる景子たちを振り返った。

「あの四人が例の暗号を考えた『出栗』って奴の話をしたい言うててな。ここやとマスコミがうるさそーて話しづらいから、四人が昼飯の予約してた店にこっそり行こかってことになってのォ。警察と一緒にオレも行くんやけど、お前も来ぇへんか？　直接、話聞きたいやろ？」


「どこの店だよ？」

新一はスマホで平次に聞きながら、蘭たちの方を振り返った。

蘭、世良、園子、中道は午後からの班行動の予定を確認しているようだった。

「ねえ、お昼どこで食べよっか？」

「昨日のフルーツサンドはおいしかったな！」

「オレ、肉！」

「んじゃ、今日は――……」

と園子が顎に指を当てて考える。

「先斗町の『急山』って店はどうだ!?」

新一は平次から聞いた店の名前を出した。


京都の有名な花街の一つである先斗町は、鴨川に沿った細長い区域で、狭い路地には紅殻格子の古い家屋が両側に建ち並んでいた。

景子たちが予約した『急山』は人気の料亭のようで、その日の昼はすでに予約で埋まっていたが、鈴木財閥のお嬢様である園子の一声で座敷を確保することができた。

「さっすが、園子!」

「鈴木財閥は偉大だな!」

「まあね～♪」

店の前に来ていた園子は、鼻高々に笑った。

そのそばで世良が、店先にある細い竹を丸く曲げた垣根のようなものを珍しそうに見ていた。

「なんだ？　この竹でできた丸い柵は？」

「そういや、他の店にも似たようなヤツが付いてるな」

新一たちが周りを見ると、同じような垣根がどの店先にもある。

「京都の流行じゃやね？」

「んなわけねーだろ」

中道の言葉に新一が突っ込むと、

「それは犬矢来です」

背後から声がした。振り返ると、セーラー服姿の女の子が立っていた。ウェーブがかかった明るい茶色の髪、大きな瞳と長いまつげ、そして鼻筋がスッととおった、かなりの美少女だ。

「泥棒除けや道路との境界線の役目をしてると言われてますけど、ホンマは犬のおしっこ除けみたいです」

「紅葉さん!!」

その美少女は、大岡紅葉だった。京都泉心高校の二年生で、百人一首の高校生チャンピオンだ。

園子が「知り合い？」と蘭を見る。

「うん。この前お父さんと京都に行ったときに会って……」

と説明する蘭のそばで、世良と中道は紅葉の大きな胸に釘付けになっていた。

(おっぱい、でけぇ……。何を食べたらあんなに大きくなるんだ？)

紅葉は蘭と一緒にいる新一たちをじっと見た。

「蘭さんのお友だち？　同じ制服着てはりますけど」

「わたしたち、東京から修学旅行に来てて……」

「へぇー、東京ですか。そらわざわざ地方からようこそおいでやす♥」

とニッコリ微笑む紅葉に、蘭たちは目が点になった。

「ち、地方からって……」

「首都、東京からですが……」

京都出身の紅葉は、平安時代から首都は京都だと思っているようで、園子と新一の言葉を全く聞き入れなかった。

「今日はウチの高校、午後は休みで、お昼をこの店で頂こうと思てましたけど……ご一緒しはります？」

紅葉が誘うと、蘭は「そうだ！」と何かを思い出したような顔をした。

「紅葉さんって、京都泉心高校でしたよね？」

「ええ、そうですけど？」

「じゃあ、沖田総司君って知ってます？」

その名前に、新一が眉をピクリと動かした。

沖田総司は新一と瓜二つの高校生で、平次が参加した剣道大会を見に行ったときに、蘭を口説こうとしたのだ。

「ああ……あの剣道小僧なら、ウチと同じクラスです」

「そうなんですか？」

「まあ立ち話もなんですから、中に入って話しましょか？」

「はい♥」

紅葉に続いて蘭が店に入ろうとしたとき、

「天狗や――!!」

男の叫び声が聞こえた。振り返ると、中年の男が鴨川と逆方向にある通りを指差していた。

「木屋町通に天狗が出よったで――!!」

「天狗……」

「だと……？」

新一と世良は顔を見合わせると、すぐに駆け出した。蘭たちも後に続く。

路地を曲がって木屋町通に出ると——天狗の面を被った者たちが、四方八方に駆け回っていた。通りかかった人々が驚き、悲鳴を上げて逃げまどう人もいる。

その異様な光景に、新一たちは唖然とした。

「おいおいおい……一体何人いやがんだ!?」

平次が綾小路や景子たちと『急山』の座敷で座卓を囲んでいると、パタパタ……と廊下を走る音がした。襖が勢いよく開いて、刑事が入ってくる。

「綾小路警部!!」

「なんや騒々しい」

「すみません。実は木屋町通で天狗が出たと騒ぎになってまして」

「木屋町通いうたら、すぐそこやんか」

平次が言うと、隣の綾小路があきれた顔を刑事に向けた。

「そんなアホ、あんさんたちでなんとかしなはれ」

「せやけど警部、その天狗いうのが一人、二人やないらしくて……」

「なんやとォ!?」

平次は耳を疑った。正面に座った景子たちの顔が見る見るうちに青ざめていく。

「も、もしかして、その天狗って……」

「西木の事件と何か関係が……」

「お、おい。ちゃんと守ってくれるんだろうな？」

綾小路と平次は立ち上がった。

「しゃあない。我々は少しこの場を離れますけど、どこにも行かんといてくださいね」

青ざめた馬山が「あ、ああ……」とうなずく。

「なんか怖いわ……」

とつぶやく景子の隣で、阿賀田が平次を見上げた。

「に、逃がさないでくれよ？」

「オウ！　任せとき！」

威勢よく返事をした平次は、綾小路と共に座敷を後にした。

木屋町通に出没した大勢の天狗たちは、通りを走る車や通行人に構うことなく、ひたすら走り回っていた。子どもたちが怯えて泣き出し、大人も天狗から逃れようと走り出す。

「おい。どうする、工藤……」

「とにかく片っ端から捕まえるぞ!!」

「オウ！」

新一と中道が駆け出すと、世良が蘭を振り返った。

「蘭君！　ボクらも加勢しよう！」

「う、うん！」

世良と蘭も走り出し、その場に残ったのは園子と紅葉だけになった。

「ちょ、ちょっと、置いてかないでよ～！」

二人は寄り添うようにして、辺りを見回した。

走り回る天狗たちに、逃げまどう人々――その光景を恐々と見ていると、園子がハッと目を見開いた。その視線に気づいた紅葉が、自分の後ろを振り返る。

すると、天狗の面を被った者がすぐそばに立っていた。ヒヒヒ……と不気味な声を出して、紅葉たちに手を伸ばす。

「キャアア〜〜〜!!」

二人が悲鳴を上げた瞬間――天狗の顔に見事な膝蹴りが決まった。大岡家の執事、伊織無我が蹴りを入れたのだ。

「お嬢様、お怪我は？」

「大丈夫です……」

ぐすん、ぐすん、とすすり泣く紅葉の肩を、伊織が優しく抱いた。

「……誰？」

園子がきょとんとする。

すると園子の背後で、駆けつけた平次が別の天狗を捕まえた。

「なんやお前ら⁉」

「くそ〜、捕まってもうたかー……」

平次に胸ぐらをつかまれた天狗は悔しげにつぶやいた。

「こんなけったいな面つけやがって、どういうつもりじゃ⁉」

平次は怒鳴りつけながら、天狗の面の鼻をつかんでもぎ取った。面の下から現れたのは、金髪の柄の悪そうな男だった。

「ネットで募集してたんや！　天狗の面付けて木屋町通を走り回ったら前金で十万！　三十分間誰にも捕まらへんかったら百万くれるって……」

「ホンマか？　それ」

はめられた――平次が気づいた瞬間、

「服部！」

背後から呼ぶ声がした。新一と世良が駆け寄ってくる。

「今、店にはあの四人だけか？」

「アカン、はよ店に戻らな!!」

三人は先斗町に戻るべく走り出した。路地を曲がり、先斗町の通りを走って『急山』に向かう。

すると——店先の犬矢来の前で、井隼が仰向けに倒れていた。まるで頭から犬矢来を滑り落ちたかのように逆さまになった井隼は、パーカーの首元が真っ赤に染まり、地面についた頭の下からは大量の血が流れ出ていた。

「くそ!!」

「やられてもうた」

新一と平次は、井隼の

遺体の前に腰を落とした。

「今度は俳優の井隼さんか……」

「頸動脈をザックリや……」

世良は二人の背後から井隼の額を見た。

「また逆さでタンコブ二つ付けられてるな……」

井隼の額には、西木や阿賀田と同様にタンコブが二つできていた。

「しかし、けったいな犯人やな」

平次はそう言うと、犬矢来に付けられた血しぶきと足跡を見た。

西木の部屋の天井にあったように、犬矢来にも真っ赤な血しぶきと足跡が付いていたのだ。血しぶきは頭を下にして倒れている井隼の背中辺りから広がり、そこから犬矢来を横切るように足跡が点々と続いている。

「時間かけてこないな跡つけてから、この人呼び出して、殺害したんやろけど……」

「いや」

新一は体を起こして、足跡を見た。

「オレたちがここを離れる十分前には、こんな跡なかったぜ？」

新一たちが店に着いたときには、犬矢来には何も付いていなかった。ということは、新一たちが木屋町通に向かって戻ってくるまでの間――およそ十分の間に、血しぶきと足跡は付けられたことになるが――……。

恋紅編

6

先斗町を出たところの四条通にはパトカーが数台停められ、先斗町の狭い通りは封鎖された。

「なるほど。盲点でしたなぁ……」

鑑識員が作業を行う中、新一、平次、世良と共に井隼の遺体を取り囲んだ綾小路は、しみじみと言った。

「表は人通りがあるやろ思て、裏口を固めてましたから……」

「それも犯人の計算の内だったんでしょうね」

新一はそう言って、隣に立つ綾小路を見た。

「ネットで募集した天狗たちにこの近くで騒ぎを起こさせ、警察がソレに気を取られてる隙に井隼さんをここへ呼び出して、殺害する。天狗が出たと大声で触れ回っていた人も、ネットで募集されてたようですし……」

平次は「けど」とやや離れたところにいる景子たちを振り返った。

「なんで井隼さんは外に出たんや？　部屋で大人しゅうしとけ言うたやろ？」

「……トイレだよ」

阿賀田に続いて、馬山が説明した。

「井隼と阿賀田と私の三人で一緒にトイレに向かったんだが、部屋に一人でいる景子ちゃんが心配だからって、井隼だけ途中で戻ったんだ」

「彼、戻る前にメールを見てたような気がするけど……」

二人の証言に、綾小路は「なるほど」とうなずいた。

「ほんで？　井隼さんはすぐに戻って来はったんですか？」

景子が「いえ……」と首を横に振る。

「私も一人で部屋にいるのが怖くて、その後トイレに立ちましたから。私が部屋を出た後で戻ってきたかもしれませんけど……」

景子の答えを受けて、綾小路は馬山と阿賀田に目を向けた。

「馬山さんたちはどんぐらいトイレにいてたんですか？」

「トイレはすぐに出たんですが、帰り道に迷ってしまって……」

「ぼ、僕はお腹の調子が悪くて、しばらくトイレに……」

馬山に続いて阿賀田が言うと、綾小路の後ろにいた世良がヒョコッと顔を出した。

「つまり三人とも、井隼さんをメールで呼び出して殺すことは出来たってワケだな？」

「そ、そんな……」

「私たちはそんなこと……」

世良の歯に衣着せぬ言葉に、景子ら三人が戸惑いの表情を見せる。

綾小路は「まあまあ」とたしなめると、改めて犬矢来を見た。

「けどこの犬矢来に付いてた血しぶきと足跡、これもだいぶ前に絵の具で描かれてたようやけど……遺体を見つける前にあんさんたちがここにいてたときには、この跡、ホンマにあらへんかったんですか？」

遺体からやや離れたところに園子や紅葉と一緒にいた蘭は「は、はい」とうなずいた。

「ひょっとしたら、ウチら全員、狐さんに化かされてんのとちゃうやろか……」

真剣な表情でつぶやく紅葉に、蘭と園子がヒイッと身をすくめる。蘭が救いを求めるように新一を見ると、顎に手を当てた新一は犬矢来をじっと見つめていた。

（ん？　なんだ、この跡……）

犬矢来が設置された地面をよく見ると、犬矢来の縁をぐるりと沿うように何かの跡が付いている――。

「あれれ〜〜〜っ!!」

新一は周りに聞こえるように、子どもっぽい声を張り上げた。

「犬矢来の周りにヘンテコな跡が――」

と言いかけて、ハッと気づく。

今はコナンじゃない。新一の姿に戻っているのだ……！

「……つ、付いてるぜ？」

と、慌てて大人の口調に戻す。

（やべ。いつものクセが……）

一同がきょとんとする中、平次が「ホンマや！」と新一に近づいて犬矢来を見下ろした。

「ぐるっとひと回り……なんやろ？」

そう言って、チラリと新一を見る。新一は（わりぃ）と目配せした。

蘭は子どもっぽい声を出した新一に、目が点になっていた。

「……っていうか、『あれれ〜〜〜』って……」

「こんなときにあの眼鏡のガキんちょのマネ？　不謹慎よねぇ」

新一がコナンの真似をしたと思っている園子たちのそばで、世良は意味ありげな笑みを浮かべた。

「そ、それより暗号は？　また懐に入ってるんじゃ……」

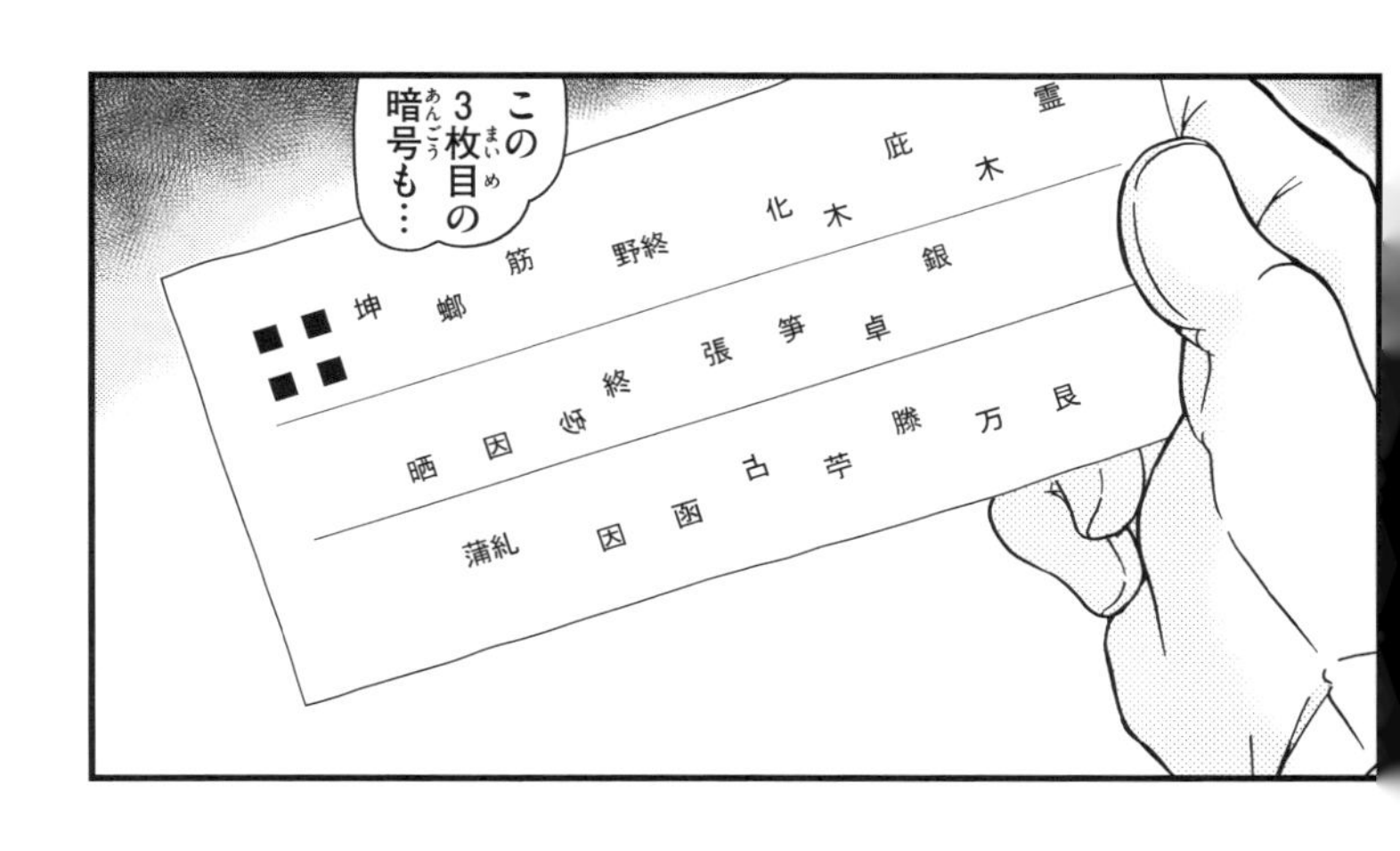

自分の失態に動揺しながらも新一がたずねると、綾小路は「ええ」とうなずき、鑑識員から証拠品が入れられたビニール袋を受け取った。

「西木さんのときと同じで、ヤツデの葉と一緒に入れられてたみたいです。この3枚目の暗号も……」

と証拠品袋を新一と平次に見せる。証拠品袋にはヤツデの葉と暗号が書かれた紙が入っていた。

「またわけのわからん暗号残しよって……だいたいなんで頭に付いてる四つの四角が、『出栗』って奴のマークなんや？」

暗号を見せられた平次が顔をしかめると、世良が証拠品袋に入った暗号を手に取った。

「一応、その四角を下に大きく囲むと、出栗の『出』って文字になるんじゃないか？」

「下に大きく四角で囲むとねェ……」

世良から暗号を受け取った平次は、頭の中で思い描いた。

すると世良の言うとおり、『出』という文字が浮かび上がる。

「ホンマや……」

そのとき、ピリリ……と平次のポケットから着信音がした。

「服部、電話鳴ってるぜ？」

「ん、ああ……」

新一に言われて、平次はポケットからスマホを取り出した。画面を見ると、遠山和葉がピースしている写真が表示されている。

「……和葉からや」

平次はすぐに電話には出ず、「あー、んん……んん」としわがれた声を出した。そして、

「……なんや、和葉。オレは今――」

風邪気味っぽい声で電話に出た瞬間、

『平次ィ!! アンタ何してんねん!?』

耳をつんざくような怒鳴り声が耳に響いた。

「ゆ、言うたやろ? えらい風邪引いてしもて学校に行かれへんって……」

『アホ言うんも大概にしいや!! アンタ、ばっちりテレビに映ってんで!!』

「え?」

驚いて平次が振り返ると——規制線の前に立つ警官たちの向こうに、ビデオカメラを持ったマスコミが押し寄せていた。

「せ、せやから、風邪に効くお守り探して、フラフラ〜っと京都に来てもーたんや」

『はあ〜!?』

平次の隣にいる新一にも、和葉のあきれた声が聞こえてきた。

(言い訳になってねぇ……)

「と、とにかく! オレは今、けったいな連続殺人と暗号解かなアカンねんから、このことは親父やオカンには言わんといてくれや！」

平次が電話をしながら持っていた暗号をにらみつけると、

「なぁ、平次君？」

背後から紅葉が声をかけた。

「その暗号に書いてある字、まるで京都の地名みたいですなァ」

「え？」

平次、新一、世良が驚いて暗号を見ると、紅葉はいびつに並べられた漢字を指差した。

「この字は上京区の庇町の『庇』やし、その左は下京区の木賊山町の『木』やし、そのまた左は右京区の化野の『化』やし……」

「これ、『あだし』って読むんかい⁉」

「そうです！」

紅葉がにっこりうなずくと、世良が「ちょっと待て！」と身を乗り出した。

「上・下・右の名前が付いた区があるってことは……」

「はい！　京都には上京区・中京区・下京区・左京区・右京区……上・中・下と左右みんなそろてます！」

「⁉」

新一、平次、世良は同時にハッとした。そして平次が持っていた暗号を食い入るように見つめる。

「じゃあ、コレって……」

「ひょっとしたら……」

「間違いねぇな‼」

新一たちが暗号解読の糸口を見出したとき、

『ちょっと、平次？』

平次が手にしたスマホから、和葉の声が聞こえてきた。

「なんや⁉」

『なんか今、紅葉の声が聞こえたんやけど……』

すると、紅葉がスマホをひったくるように奪って、耳に当てた。

「あら葉っぱちゃん！　お元気どしたか？」

スマホからいきなり大岡紅葉の声が聞こえてきて、学校の掃除時間に平次に電話をしていた和葉は唖然とした。

風邪で学校を休んだ平次がニュース映像に映っていたのでビックリして電話したら、よりによってあの紅葉が一緒にいたのだ。

『平次君のことはウチに任せて、葉っぱちゃんはお勉強に励んでくださいね！』

「……ま、任せられるかアホ――!!」

教室中に響くような大声で叫ぶと、

『ほな、さいなら♪』

ブツッと電話はあっさりと切れた。

机を運んでいたクラスメイトが、ぽかんと和葉を見る。

「え？　任せられんって……教室の掃除、和葉が一人でやるん？」

「あ、ちゃうちゃう」

慌てて否定した和葉は、（ったく、もぉ）とスマホをにらみつけた。

納体袋に入れられた井隼の遺体がストレッチャーで運ばれていくと、綾小路は証拠袋に入った三つの暗号を持って景子たちの方を向いた。

「ほんなら話途中になってましたけど、今度こそちゃんと聞かせてもらいましょか？　この三つの暗号を考えた『出栗』ゆう人の話を……」

綾小路は新一、平次、世良、そして景子たち三人を連れて『急山』に入った。

最初に通された座敷に戻り、座卓を囲んで景子たちから話を聞く。

「……出栗未智男？」

綾小路は景子たちから出た男の名前を繰り返した。

「その彼もあんさんたちと同じ祇園芸術大学の同級生やったんですか？」

景子が「は、はい……」とうなずく。

「彼は美術学科でしたけど、僕は音楽学科で……」

「私は映画学科……」

「私と井隼君は演劇学科でした……」

阿賀田、馬山に続いて景子が言うと、馬山は「ちなみに西木は文芸学科で……」と付け足した。

「でも、みんな学科がバラバラなのに、どうやって知り合ったんだ？」

世良の疑問に、阿賀田が答える。

「みんな特撮研究会に入っていたんだよ。まあ、出栗は漫画研究会と掛け持ちだったけど」

「大学祭にはみんなで撮った映画を毎年上映してたんだ。元々私は特撮が得意だったし」

と馬山が映画の話を出すと、

「私と井隼君は特殊メイクに精通してて」

「出来た映像に、僕がオドロオドロしい曲をつける。脚本は西木で衣装や化け物とかのデザインは出栗って感じだったよね？」

景子と阿賀田も思い出話に花を咲かすようにしゃべり出した。

「漫画が忙しくて出栗が大変なときは、みんなで奴の漫画を手伝ったな」

「まあ使い物になったのは阿賀田君ぐらいだったけど……」

景子たちの正面に座った新一は「でも」と見ていたスマホから顔を上げた。

「今回の『紅の修羅天狗』の元になった卒業制作のスタッフに、『出栗』って人の名前はありませんよね？」

新一が検索したサイトを見せると、景子たちの顔が凍りついた。

「どうしてですか？」

とたずねても、景子たちは硬い表情でうつむいたままだ。

「なんや？　何黙ってんねん？」

新一の隣に座った平次が身を乗り出すと、阿賀田がようやく口を開いた。

「……実は、西木が卒業制作の脚本に悩んでいて……」

「そんなときに、出栗が同人誌で描いた漫画を見つけたんだ……」

「とても素晴らしいファンタジーをね……」

「それが『紅の修羅天狗』だったんだな？」

世良の問いに、景子は「ええ」とうなずいた。

「出栗君には『これは僕がプロの漫画家になったときにちゃんと発表する話だから、使わないでくれ』って断られたんだけど……期限まで時間がなくて……」

「完成した作品を観れば出栗も納得してくれるだろうと思い、その話で撮ってしまったんだ」

「スタッフロールに出栗の名前を入れれば、彼の卒業制作にもなるしね……」

阿賀田と馬山が言うと、景子は「でも……」と沈んだ顔をした。

「部室でその映画の試写を観た彼は『こんなの僕の作品じゃない!!　裏切りだ！　僕の名前を入れないでくれ!!』って怒って部室を出て行っちゃって……。その後、その卒業制作が評判になって、彼以外の私たち五人だけが脚光を浴びてしまったの……」

「メチャメチャ恨まれてるやんか！」

平次が突っ込み、馬山が「あ、でも」と口を開いた。

「今回の『紅の修羅天狗』の制作発表をした日の夜に、出栗から連絡があったんだ！『今は漫画家を諦めて小さなデザイン事務所で働いてる僕だけど、あの話をリメイクするならスタッフロールの片隅に僕の名前を入れてくれないか？』って……」

「出栗君、自分の漫画が映画化されるのが夢だって言ってたから……」

景子が続けて言うと、綾小路は冷静な目つきで三人を見た。

「ほんで？　スタッフロールに彼の名前を？」

「そのつもりだったんですが、少々手違いがあって……」

馬山が言いよどんだ先の言葉を、阿賀田が続けた。

「初号試写でスタッフロールに自分の名前が入ってないのを観た彼は、失意の果てに自殺を……」

「本当は映画の公開を取りやめようとも思ったんですが、スポンサーの手前そうはいかなくて……」

馬山がそう言ってうつむき、隣の阿賀田がチラリと見る。

「なるほど……」

綾小路や新一たちは、沈痛な面持ちでうつむく三人を険しい目で見つめた。


「なんでです？　なんで平次君たちは中に入れて、ウチらは入れへんのですか？」

蘭や園子たちと店の前に残された紅葉は、不満そうに伊織に訴えた。

「せっかく葉っぱちゃんに平次君を任されましたのに!!」

「彼は綾小路警部に信頼を得ているようなので……」

紅葉をなだめる伊織のそばで、園子が（マジで誰？）と眉をひそめる。

すると、蘭が「あのぉ、紅葉さん」と遠慮がちに声をかけた。

「なんです？」

「沖田君と、どこへ行ったら会えますか……？」

蘭が出した男の名前に、園子の地獄耳がピクリと動く。

紅葉は「そうですなぁ」と興味なさげに首を傾げた。

「あの剣道小僧のことですから、今頃は道場で稽古してはるんやないやろか。言伝やったら預かりますけど」

「あ、いえ。会って話したいことがあって……」

蘭が恥ずかしそうに頰を赤く染めるのを見て、園子はムム……と目を細めた。すると、

「あれ〜〜？　蘭ちゃんやんか!!」

背後から声がした。園子と蘭が振り返ると――剣道着姿に竹刀を持った沖田総司が剣道部員たちと一緒に立っていた。

「沖田君!!」

「何してんねん？　こんなトコで」

「アンタこそなんですのん？　そないたくさん子分たち引き連れて」

紅葉が冷ややかな目を向けると、沖田は剣道部員たちを振り返ってニヤリとした。

「木屋町通に天狗がぎょーさん出て暴れてる言うから、剣道部員連れて退治しに来たったんや！」

「そらご苦労なことですなァ」

と皮肉交じりに言う紅葉の隣で、沖田を見た園子はあんぐりと口を開けた。

(マジで新一君にそっくりじゃん!!)

蘭から新一そっくりの男の子が京都にいるとは聞いていたが、まさかここまで似ているとは思わなかった。

(ってことは、まさか……)

園子が横目でチラリと蘭を見る。

「この娘がアンタに会いたい言うてはりますけど」

「なんや！　やっぱオレに会いとーて京都に来たんやなァ!!」

「あ、ちが……ちょ、ちょっとこっちに！」

蘭は嬉しそうな沖田の手を引っ張り、紅葉たちから離れた。そして小さな包みを沖田に手渡し、ヒソヒソと話しだした。二人は互いに頬を赤く染め、何やら親密げに話し込んでいる。

そんな二人を、園子は疑わしそうにジーッと見ていた。そして何かを思いついたようにニヤリと微笑むと、スマホを構えた。

7

アメリカ・ロサンゼルス――。

高級ホテルに滞在している新一の母・工藤有希子に電話がかかってきたのは夜の九時過ぎだった。

「……鞍知景子？」

新一からその名前を聞いた有希子はすぐに思い出せなくて、名前を繰り返した。

「ああ、京子ちゃんね！　よくドラマで共演したわよ。主役は私だったけどね♪」

『京子ちゃん？　景子じゃなくて？』

「本名が京子なのよ！　大学時代にいろいろあって、京都の『京』の字の上に『日』を付けて芸名を『景子』にしたんだって」

『へえー……』

「ああ、名前って言えば……西木さんや馬山さんも、その卒業制作のときだけ名前を変えたとか言ってたなぁ」

有希子はそう言いながら、そばで仕事をしていた夫・優作のノートパソコンを操作した。

そして画像検索して出てきた『紅の修羅天狗』のポスター画像を開く。

『名前を変えた？』

有希子は「うん、そう」と言って、ポスター画像の名前をチェックした。

「馬山さんは『峰人』の『峰』をやまへんからやまかんむりの『峯』に変えてるし、西木さんは『太郎』が『太郎坊』になってる。西木さんの『太郎坊』は何かに由来してるらしいけど……」

『急山』の座敷を抜けて廊下からロサンゼルスの有希子に電話をかけていた新一は、西木や馬山が名前を変えたと聞いて、日本一の大天狗の名前を思い出した。

（そういやあ、日本一の大天狗は『太郎坊』って名前だったな……）

すると、有希子が『そうそう』と何かを思い出したように言った。

『京子ちゃんってば大学時代に好きな人がいて、まだその人を想い続けてて結婚してないのよねー』

『なるほど。その彼はもしかして出栗未智男君かな？』

優作の声に続いて、

『ウソ？　なんで知ってるの？』

有希子の驚いた声が聞こえてきた。

「なあ母さん。その出栗って人……」

『ねぇねぇ、なんで知ってるの——!?』

新一が質問する前に、突然ブツッと電話が切れた。

（切られた……）

新一がスマホを軽くにらんでいると、着信音と共にメールが届いた。園子からだ。

メールを開くと——添付された写真が画面に表示された。

それは、蘭と沖田総司が話している写真だった。メールの件名は【妻の浮気現場だよん♥】とある。

(お、沖田⁉ なんで蘭が沖田と会ってんだ⁉)

新一は写真に写っている二人をまじまじと見た。二人とも頬を赤く染めて、何やら驚いた表情で見つめ合っている。

(——ってか、なんなんだよ、この二人の表情は⁉)

「おい工藤。なに見とんねん？」

平次が背後から声をかけてきて、新一はとっさにスマホの画面を隠した。

「行くで」

「い、行くってどこに？」

「祇園ホテルや」

平次に続いて、世良も廊下に出てきた。

「西木さんがあのホテルの喫煙部屋を予約しようとしたら、最初は満室だって断られたのに、その電話中にキャンセルが出て取れたらしいんだ。ちょっと気になるよな？」

「あ、ああ……そうだな」

廊下を歩いていく世良たちに相づちを打つと、新一はチラリとスマホの画面を見た。

（こっちも気になるけど……）

だが、今は事件を解明する方が先だ。

新一はスマホをポケットに入れると、世良たちの後を追った。


祇園ホテルに到着した綾小路たちがフロントで事情を説明すると、フロントスタッフは端末を操作して調べ始めた。

「――はい。おっしゃる通り、西木様からのお電話の最中にキャンセルが出て、昨日から二泊分の部屋をお取りしました」

「そうですか……」

綾小路の背後で話を聞いていた平次は、阿賀田を振り返った。

「そうゆうたら阿賀田さんも喫煙者やったけど、アンタはすぐに部屋取れたんか？」

「ああ。西木のすぐ後にまたキャンセルが出たんでね。あのときは、西木のマンションにみんなで集まって一緒に部屋を予約したから……だったよね？」

阿賀田が確認するように顔を向けると、景子は「ええ……」とうなずいた。

「ホンマですか？」

綾小路がフロントスタッフにたずねる。

「あ、はい。西木様が予約された後、すぐにまたキャンセルが出て、阿賀田様が予約されました。そちらは団体のお客様でしたけど……」

世良は「なあ」と綾小路に声をかけた。

「阿賀田さんの部屋っていえば、巨大な天狗が出たらしいけど、その後、本当に部屋に異状はなかったのか？」

「ええ。焦げた天井にノリみたいな物が付いてましたけど、とても大きい物を支えられるような量やなかったと思います。後は、阿賀田さんがイスごと倒れたときにカーペットに付いたイスの跡や、天狗に向かって投げた灰皿のタバコが落ちて、カーペットが三センチぐらい焦げた跡。ほんで、なんでかベッドの真ん中にもう一つの枕が……」

綾小路はそう言って、阿賀田を振り返る。

「そ、それはクセというか、ヒザの下に枕を入れてないと足がつっちゃうんで……」

一同が阿賀田を見る中、新一だけ背を向けて思案にふけっていた。

(ん？　何だ？　今、何か引っかかったような……)

綾小路の説明を聞いていたとき、何だか妙な違和感を覚えたのだ。

天井に付いたノリ、椅子が倒れた跡、タバコの焦げ跡——綾小路の言葉を反芻する新一の頭に、ふと沖田総司の顔が思い浮かぶ。

『沖田君に会えるかなぁ』

さらに頭によみがえったのは、修学旅行に行く前に言っていた蘭の言葉——。

新一はそれらを断ち切るようにギュッと目を閉じ、推理に集中した。

（ベッド中央の枕……）

だが、ふいに園子が送ってきたメールの件名が頭をよぎる。

【妻の浮気現場だよん♥】

同時に頬を赤らめて見つめ合う蘭と沖田の写真が脳裏に浮かんで、新一は頭を抱えた。

（あーくそっ！　あの二人の写真がちらついて推理に集中できねぇ！　そんなこと考えてる余裕ねぇのに……）

そう思った瞬間――新一の脳裏に一筋の光が差し込んだ。

（え？　余裕？）

ドックン――!!

同時に心臓に強烈な衝撃が走った。

解毒薬が切れるのだ――！

（やべぇ……来やがった！　昨日より早ぇじゃねーか!!）

激しい痛みに歯をくいしばって耐える新一に、そばにいた平次が気づく。

「お、おい、工藤。大丈夫か？」

「あ、ああ……そんなことより、犯人がわかった……」

世良が「え？」と目を見張った。

服の上から左胸をつかむ新一の顔に、脂汗が浮かぶ。

「で、でも……捕まえるには、ま、まだ……証拠が薄い……」

「じゃあどないするんや、工藤」

平次に言われて、新一は綾小路に声をかけた。

「京都府警に……きょ、協力してもらっていいですか？」

「ええ、できることやったら……」

「す、少しばかり……は、恥ずかしい思いをするかもしれませんけど……」

苦痛に顔をゆがめながらも、ニヤリと笑みを浮かべる。その焼け付くように熱い体からは、わずかに白煙が立ち上っていた。

8

翌朝。

警官を連れた綾小路は、新一たちが宿泊する祇園ホテルにやってきた。景子たちの部屋がある十五階へ上がり、景子、阿賀田、馬山を廊下へ呼び出す。新一、平次、世良もその場に立ち会った。

「とにかく、昨日亡くなった井隼さんの遺体からまた新たな暗号が出て来たゆうことは、犯人はあんさんたちの中の誰かをまだ殺害する気ィなんかもしれません！　せやから、チェックアウトの時間まで自分の部屋で大人しゅうしといてくださいね？」

「わかりました……」

阿賀田たちは静かにうなずいた。

「一応念のために、あんさんたちの部屋に警官を付けて警護させますから」

「……ありがとうございます」

馬山が礼を言うと、綾小路は「では」と会釈してその場をはなれた。新一、平次、世良も後に続く。

「おい、工藤」

平次は新一に近づいて声をかけた。

「体、平気なんか？」

「ああ、なんとか。今朝遅めに薬飲んだから……」

新一が小声で答えると、世良が「薬？」と眉をひそめた。

「なんの薬だ？」

「か、風邪薬だよ」

新一の言葉に、世良は「へぇー……」と意味ありげに微笑む。

エレベーターホールへ向かう綾小路らを見送った馬山は、フゥ……と息をついた。

「なんか散々な墓参りになっちゃったな」

「あぁ、結局、出栗の墓にも行けなかったし」

「まあ、それはまた今度で……」

景子の言葉に、阿賀田が「そうだな」とうなずく。

「じゃあ後で」

三人はそれぞれの部屋に向かい、カードキーで鍵を開けて入っていった。

閉まったそれぞれのドアの前に、警官が立つ。

部屋に入った景子は、閉まったドアに寄りかかりながら、出栗のことを思い出した。

あれはもう十五年も前——鴨川の河川敷で、出栗と並んで座ったときのこと。

『……夢？　それが出栗君の夢なんだ！』

『ああ』

出栗は少し照れたように微笑むと、空を見上げた。

『映画館の大スクリーンに〝原作・出栗未智男〟ってババーンと出るのがね』

夢を語る出栗の顔はいきいきと輝いていた。その横顔は、今でも景子の胸に焼き付いている。

けれど、あのとき夢を語った出栗は、もうこの世にはいない――。

景子はドアから体を離して、ゆっくりと部屋の中へ進んだ。

自分の部屋に入った馬山は、デスク下にあるミニ冷蔵庫からペットボトルを取り出し、ゴクゴクと飲みだした。

飲み終わって口元を手で拭うと、正面の鏡を見る。

しかめっ面をした自分を見た瞬間――出栗の声が頭によみがえった。

『……本当か？　本当に僕の名前をスタッフロールに入れてくれるのか？』

一年前。電話したときの出栗の声がにわかに明るくなった。

『もちろんだよ。あの話の原作者は君なんだから』

馬山が念を押すように言うと、

『よかった……』

スマホから出栗の安堵したような穏やかな声が聞こえてきた。

『実はずっと後悔してたんだ。あの卒業制作の出来が素晴らしすぎて、悔しくて思わずあのときはあんなこと言っちゃって……ごめんな。それと……』

〝ありがとう〟

出栗はそう言って、電話を切った――。

ペットボトルを持った手をだらりと下ろした馬山は、鏡に映った自分から目を逸らすと、ベッドに歩み寄って腰を下ろした。

自分の部屋に入った阿賀田は、丸テーブルに置いたタバコを手に取り、火をつけた。

タバコをくわえながら椅子の背にもたれ、焦げ跡が残った天井を見上げる。

――あのときの出栗も、真っ白なスクリーンをいつまでもぼんやりと見ていた。

『おい、どうした出栗？　そろそろ出ないと試写室閉めるって……』

『紅の修羅天狗』の初号試写が終わって誰もいなくなった試写室に、出栗は一人残っていた。

『……変なんだよ』

『え？』

『いくら待っても、僕の名前が流れないんだ……おかしいだろ？』

そのときの出栗の落胆した表情を、阿賀田は今も忘れることができなかった。

それぞれが自分の部屋で出栗のことを思い返していると、三人のスマホが鳴った。

それはメールの着信音だった。

馬山は着ていたパーカーの内ポケットからスマホを取り出し、メール画面を開いた。その文面を読んだ目が大きく開く。

数分後。馬山が部屋のドアを開けて出てきた。

「どこ行かはるんですか？」

ドアの横に立っていた警官が声をかけると、馬山はビクッと肩を震わせた。

「あ、ああ、トイレだよ。部屋のトイレの調子が悪くてね。ロビーのトイレに行ってくるよ。すぐに戻るから」

「お気をつけて」

馬山を見送った警官は、馬山がエレベーターホールに入っていくのを確認すると、制服のポケットからスマホを取り出し、電話をかけた。


ホテルのロビーに降りた馬山は、正面玄関付近に集まっているマスコミを見て、マスクをかけた。さらにパーカーのフードを深く被って裏口から出ていき、通りを走るタクシーを止める。

「清水寺まで」

「かしこまりました」

後部座席のドアが閉まってタクシーが走り出すと、馬山はマスクを外した。

清水寺に到着した馬山は、まっすぐ本堂にある舞台へ向かった。

大勢の観光客が目の前に広がる錦雲渓の艶やかな紅葉を楽しむ中、馬山は欄干の前で電話をかけた。スマホを耳に当てながらキョロキョロと周囲を見回し、腕時計を見る。

『はい、もしもし?』

「おい、阿賀田? いつまで待たせる気だ!?」

馬山が苛立った口調で問うと、

『待たせるってなんのことだ?』

阿賀田の不思議そうな声が返ってきた。

「え? さっきメールをくれただろ? 【西木と井隼を殺したのは僕だ。警察に捕まる前に直接会って話したいことがあるから、清水の舞台に来てほしい】って……」

『はぁ？　そんなメール出すわけないよ！　ちゃんとアドレス確かめたか？』

阿賀田に言われて、馬山はスマホを耳元から離すと、メール画面を開いた。そしてメールの差出人のアドレスをチェックする。

【ｃｈｅｓｔｎｕｔ＠××××．×××】

アットマークの前についたアルファベットを見て、馬山はハッとした。

「――!?　チェスナット……」

『おい、チェスナットって〈栗〉って意味だろ？　それって出栗のアドレスなんじゃ……』

スマホから阿賀田の声がしたかと思うと、

《そうだよ……》

どこからか、うめくような低い声が聞こえてきた。

「!?」

馬山はハッと後ろを振り返った。

《メールを出したのは僕……出栗だよ……》

それは地の底を這うような低く恐ろしい声だった。

「そ、そんなバカな!? 君は死んだんじゃ……」

柵を背にした馬山は、辺りを見回した。しかし、周りの観光客は何事もないように写真を撮ったり、紅葉を眺めている。

(この声、みんな聞こえてないのか?)

馬山が不思議に思っていると、再び恐ろしい声が聞こえてきた。

《そうさ! 君たちに裏切られ失意の果てに、この清水の舞台から身を投げて自殺したんだ……》

そんなバカな。どうして自分にだけ聞こえるんだ——馬山は声の正体を突き止めようと何度も見回した。けれど、それらしき人物は見当たらない。

この声はまさか本当に出栗なのか——。

《でも、君たちに恨みを晴らすために、黄泉の国から舞い戻ったのさ……》

馬山が正面を見ると——檜の床板に赤い足跡が浮かび上がった。

一つ、二つ、三つと足跡が次々に浮かび上がり、馬山に向かってまっすぐ近づいてくる。

《よくも僕をだましたな……許さない……》

「ひっ……」

馬山は思わず後ずさった。背中に欄干が当たる。

《許さない！》

また一つ、真っ赤な足跡がヒタリと迫る。

《許さない‼》

「ち、違う！」

馬山は迫る足跡から逃れるように欄干に登った。

「き、君の名前は……本当は——」

そのとき。突然、隣にいた帽子を目深に被った人物が、馬山の首をつかんだ。

「え？」

「……出栗にちゃんと謝っとけよ。あの世でなァ――!!」

その人物はドンッと馬山を強く押した。

馬山の体が欄干を越えて真っ逆さまに崖下へと落ちていき、突き落とした犯人は欄干から身を乗り出して舞台の下を覗き込んだ。

すると――崖下には巨大なエアマットが敷かれていて、馬山はその真ん中に沈み込んでいた。

「ど、どうして……」

唖然とする犯人の背後に、三つの影が近づいた。

「……舞台の高さは約十二メートル」

その声に犯人がハッとして振り返ると、新一、平次、世良――高校生探偵の三人が立っていた。

「あらかじめエアマットを敷いておけば、逝き着く先はあの世じゃありませんよ。阿賀田力さん？」

新一に名前を呼ばれた犯人――阿賀田は、まさかというような顔を三人に向けた。

「ど、どうしてここが……まさか、暗号が解けたのか……⁉」

新一は「ええ」とうなずくと、制服の内ポケットからスマホを取り出し、阿賀田に歩み寄った。

「ポイントは、暗号の頭に記された四つの黒い四角で囲まれた白い十字部分……」

そう言って、スマホに保存した一枚目の暗号の写真を見せる。

「これは京都にある上京区・中京区・下京区・左京区・右京区を示していて、その後に続く文字は京都の地名の一部。さっきの白い十字に合わせた文字の位置で、どの区にある町名のなんて読む漢字なのかがわかるって寸法だ」

新一はスマホの画面に二本の指を乗せ、指の間を広げるように動かして暗号の写真を拡大して見せた。

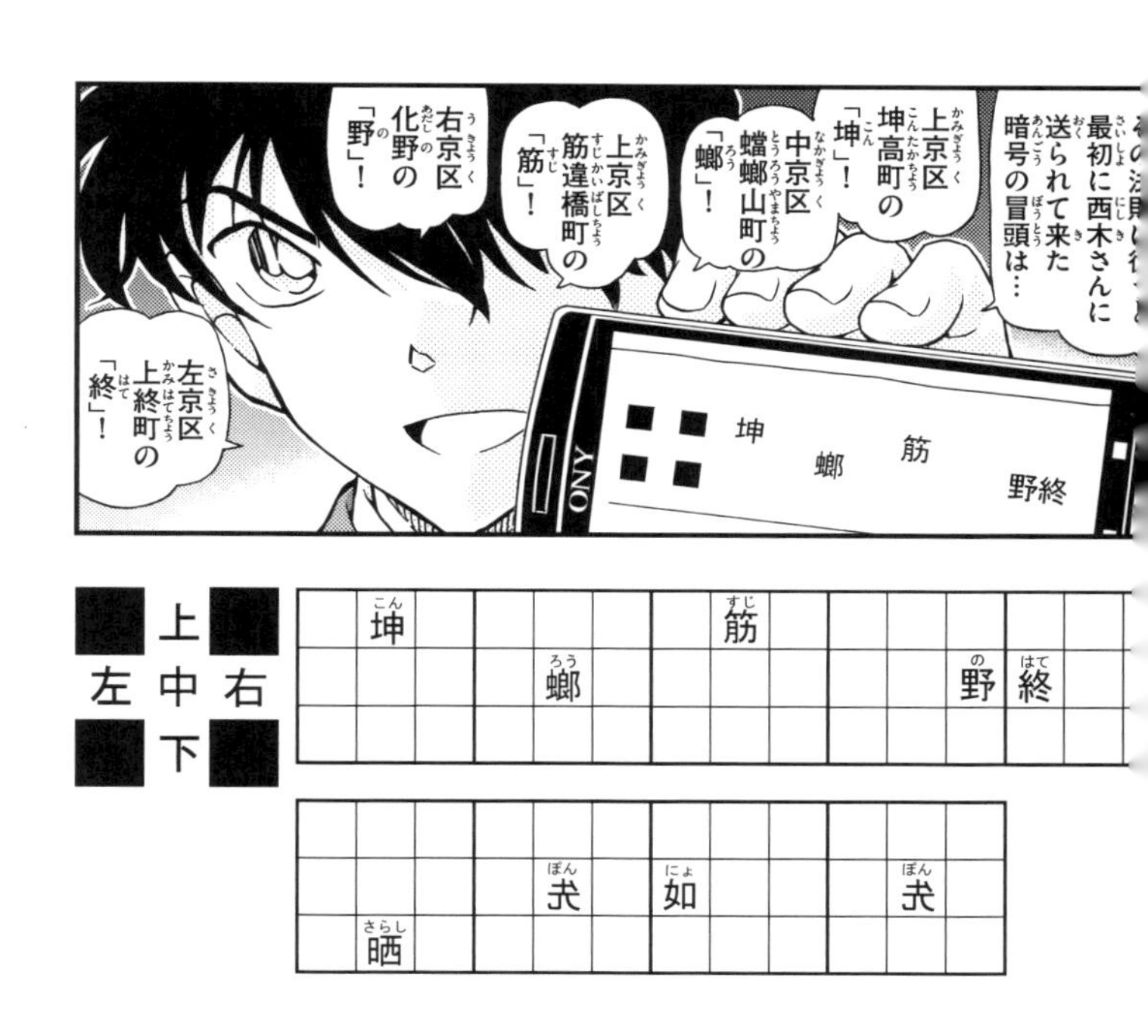

「その法則に従うと、最初に西木さんに送られて来た暗号の冒頭は、上京区坤高町の『坤』！　中京区蟷螂山町の『螂』！　上京区筋違橋町の『筋』！　右京区化野の『野』！　左京区上終町の『終』！　その文字の最初の一文字だけをつなげて読むと、『こ・ろ・す・の・は』——つまり『殺すのは』になる……」

新一が一番目の暗号の上段部分を解読すると、平次がそれに続けて言った。

「たまに入ってる裏返しになった『先』っちゅう字ィは、中京区の先斗町のことやから、逆さにしたら『んぽ』で『ん』だけ読んだらええ。せやから最初の暗号は『殺すのは三人　まずはシナリオだ』になるっちゅうこっちゃ！」

阿賀田は黙って平次たちの推理を聞いていた。その顔はじっとりと汗で濡れている。

すると今度は世良が「同じように……」と口を開いた。

「西木さんの遺体の懐に入ってた二番目の暗号を読むと、『殺すのはあと二人　次は主演だ』になり、井隼さんの遺体の懐に入ってた三番目の暗号は、『殺すのはあと一人　最後は私が舞台から落ちよう』になる……」

そこまで説明して、世良はフッと余裕の笑みを浮かべた。

「まあ、馬山さんを投身自殺に見せかけた後、暗号の読み方がわかったと言い、三番目の暗号を馬山さんの遺書にするつもりだったんだろうけど……自殺する場所まで書いてあったおかげで先回りすることができたってワケさ！」

阿賀田が馬山を清水の舞台から突き落とすことが予測できた新一たちは、綾小路を通じて京都市消防局に急きょエアマットを用意させたのだ。

「の……呪いだ……」

うつむいていた阿賀田が、突然顔を上げた。

「呪いだよ！　僕にこんなことをさせたのは、全て何かの呪いのせいなんだよ‼　だって見ただろ⁉　西木の部屋の天井！　あんなの十分足らずで人間にできるワケが――」

「静電気付箋……」

新一がその名を口にすると、阿賀田はハッと息をのんだ。

「静電気の力でどんな壁や物にも接着剤なしで貼り付けることができる――西木さんが脚本の直しに使っていた付箋を利用したんですよね？」

たずねられた阿賀田の顔に、明らかに動揺の色が浮かぶ。

「まず、あなたは犯行前日にあの部屋に泊まり、天井に血しぶきと足跡を絵の具で描いて乾かした。そして静電気付箋を天井一面に貼って覆い隠しておく。もちろん次の日も喫煙部屋であるその部屋を予約するのを忘れずに……」

「…………」

「それと同時に他の喫煙部屋も全室予約しておき、西木さんが予約の電話をかけたタイミングで血しぶきを描いた部屋をスマホを使ってオンライン予約からキャンセルすれば、西木さんをその部屋に宿泊させることができる。そして西木さんを殺害した後、棒か何かで天井をなぞれば付箋は剝がれ落ち、その落ちた付箋を西木さんの脚本をばら撒いてごまかした。あとは西木さんの血を注射器で吸い取り、天井の血しぶきのような跡の中心に吹き付けた——ってところでしょうか？」

新一が推理を披露し終えると、

「……じゃ、じゃあ、天狗は？」

阿賀田が反撃するかのように身を乗り出した。

「僕の部屋に突然現れ燃えて消えた、あの巨大な天狗はなんだっていうんだよ!?」

「みんなで出栗さんの漫画を手伝うたときに、唯一使い物になったたっちゅう絵心があって器用なアンタなら、作れるんとちゃうか？　フラッシュペーパーであんぐらいのでっかい張りぼての天狗をなァ！」

阿賀田を見据えた平次は、ニヤリと笑った。

「マジシャンが使うフラッシュペーパーなら軽くてノリで天井に貼り付けられるし、アルコール系インクで色付けてたら、タバコの火ィが触れただけであっちゅう間に燃えてまうで！」

新一は平次の推理を聞きながら、ホテルのフロントで綾小路が阿賀田の部屋の状況を説明したときのことを思い出していた。

綾小路の説明を聞いたとき、何かが頭に引っかかったが、蘭と沖田の写真がちらついて推理に集中できなかった。そんなこと考えてる余裕ねぇのに――そう思った瞬間、違和感の正体がわかったのだ。

「あなたの部屋に残っていた三センチのタバコの焦げ跡がその証拠。タバコに火をつけてから天狗に気づいて悲鳴を上げ、さらにその悲鳴を聞きつけて景子さんや綾小路警部、ホテルのボーイやボクたちが駆けつけ、ドアを開けてから天狗に灰皿を投げつけたとすると、そんなにタバコが残っているのはおかしい。つまり、あなたはボーイがドアを開ける直前にタバコに火をつけたんだ。天狗に驚いていてそんな余裕なかったはずなのにね」

世良が「ちなみに」と新一に続いた。

「井隼さんのときの犬矢来は、あらかじめ夜中にでもあの足跡を描いておき、その上から一回り大きな犬矢来を被せておいたんだよな？　そして犯行後、その犬矢来を外してあの足跡をあらわにし、別の店の犬矢来に被せたんだ」

新一が見つけた犬矢来の周囲についていた妙な跡は、一回り大きな犬矢来を置いたときに付いたのだ。

腕を組んだ世良は、阿賀田を見ながら不敵に口の端を上げた。

「その犬矢来の下からいろいろ見つかってるらしいよ？　凶器の刃物や返り血を避けるための雨合羽とかね。どーせ指紋を拭き取っていて、全て馬山さんの犯行に見せかけるつもりだったんだろうけど……」

「な、何を言ってんだ!?」

阿賀田は訴えるように両手を広げた。

「見ただろ？　馬山は自分でこの柵を乗り越えようとしてたじゃないか！　きっとアイツも何かに取り憑かれていたんだよ!!」

　すると、おもむろに平次が腰を下ろしてハンカチを手にすると、床板に付いた赤い足跡に手を伸ばした。驚いたことに、足跡が床板からペリリとめくれる。

「付いてるんは赤い足跡が描いたある、この透明な静電気付箋だけや。この上に床板と同じ色塗った付箋重ねたら、足跡隠せるやろなァ。アンタがその付箋に細っそいテグス付けて一枚一枚めくったから、馬山さんには血ィの足跡が迫って来てるみたいに見えたっちゅうことか」

　平次の推理を聞きながら、新一は線香がたかれた常香炉に向かった。馬山が立っていた場所の正面にある常香炉の下には、小さなスピーカーが置かれていた。

「それに加えてこの指向性スピーカーで馬山さんにだけ恐ろしい声を聞かせれば、必死で逃げようとするのも無理はない」

ハンカチを手にした新一がスピーカーにコードで接続されたスイッチを押すと、《許さない……許さない……》と低い男の声が、スピーカーの正面に立つ阿賀田や平次たちに聞こえてきた。超音波を使う指向性スピーカーは、限られた狭いエリアだけに音が届くのだ。

「まあ、その付箋もこのスピーカーも自殺の騒ぎに乗じて回収するつもりだったんでしょうから、おそらくあなたの指紋が付いてるはずですけどね」

「くそっ!!」

仕掛けたトリックを全て見破られた阿賀田は、突然走り出した。新一たちから逃げるように、本堂の建物へ向かう。

「どけぇガキども!!」

建物の前にいた学生たちを蹴散らす勢いで突っ込もうとすると——学生たちが一斉に拳銃を阿賀田に向けた。

「ええっ!?」

驚いて立ち止まった阿賀田を、拳銃を持った学生たちが取り囲む。

学生たちの顔をよく見ると、明らかに十代には見えない男女だった。学生服を着た綾小路もその中にいた。

「スンマセン。あんさんを警戒させへんために、京都府警は昔着てた学生服で修学旅行生のフリしてくれて頼まれてしもて……」

「そんな……」

変装した警官たちに囲まれた阿賀田は、力なくその場に崩れ落ちた。

「くそっ……くそォ……!!」

泣きながら拳を床にドンドンと打ちつける。

その姿を見て、平次は「けどわからんなァ」と首をひねった。

「なんで遺体にコブ二つも付けたんや？」

阿賀田は顔を上げ、平次を振り返った。

「……コブ取り爺さんだよ。悪い爺さんは良い爺さんの真似をして天狗の怒りを買い、コブを二つ付けられたから……。まあ、景子が撮影中に転んでコブを作ったのを見て、今回の殺人計画に取り入れようと思いついたんだけどね……」

「やっぱり、出栗って人の名前がスタッフロールになかったのが動機か？」

世良がたずねると、阿賀田は「あぁ！」と上体を起こした。涙で濡れた顔が、憎悪に満ちる。

「出栗が試写室でしばらく呆然としてたことを、打ち上げ会場にいたアイツらに伝えたら、笑ってこう言ったんだ！『そうか！　そんなに驚いてたか!!』『やったな！』『大成功だ!!』ってね……!!」

「でも、それって手違いだったんですよね？」

新一の言葉に、阿賀田は苦々しげに唇を歪めた。

「……僕もそう思って、スタッフに確認したら戸惑ってたよ。誰かの名前を削ったんじゃなく、文字の間隔を直しただけだって……。だからアイツらは最初から出栗の名前を入れるつもりはさらさらなくて、ただあざ笑うために出栗を初号試写に呼んだんだ!!」

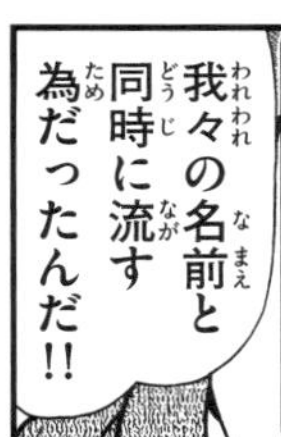

「それは違うわ、阿賀田君！」

その声に驚いて振り返ると——いつの間にか景子と馬山が警官たちのそばに立っていた。

「え……？」

「その文字の間隔を直しちゃいけなかったのよ!!」

「何を今さら……」

阿賀田があざ笑うと、馬山は懐からスマホを取り出した。

「阿賀田。これが映画で流れるはずだったスタッフロールだ」

スマホの画面には、縦書きの『阿賀田力』『鞍知景子』『井隼森也』『西木太郎坊』『馬山峯人』の名前が横並びに表示されていた。五人の名前はなぜか頭が揃えられておらず、さらに文字の間隔も不自然にいびつになっている。

「五人の名前を同時に出したのも、景子ちゃんと私が名前を変えたのも、文字の間隔をいびつにしたのも……この『出栗未智男』の名前を我々の名前と同時に流すためだったんだ!!」

スマホを渡された阿賀田は、食い入るように画面を見つめた。馬山が言うとおり、横並びに表示された五人の名前の中央に、『出栗未智男』という文字が読める――。

「そ、そんな……」

阿賀田は愕然とした。まさかこんなところに出栗の名前が隠されているとは思いもしなかったのだ――。

「本当は原作者として名前を出したかったんだけど、新たにギャラが発生するのは困るとプロデューサーに言われて、この形にしたんだ」

「暗号好きの彼なら、絶対に気づいてくれると思って……、実は卒業制作の映画もこうなっているのよ…彼への感謝の気持ちを込めて……」

「出栗と親友だった君にも彼と一緒に驚いてほしくて、黙ってたんだ」

「ごめんなさい……」

馬山と景子の言葉を聞いた阿賀田の頭に、打ち上げ会場の西木と井隼が思い浮かぶ。

『そうか！　そんなに驚いてたか!!』『大成功!!』

彼らは出栗をあざ笑ったのではなく、出栗がスタッフロールに名前が流れたことに気づいてくれたと喜んでいたのだ――。

「……ぼ、僕は、なんてことを……」

やり場のない後悔が胸をえぐり、阿賀田は、うあああ〜〜〜と泣き崩れた。

殺人者の後悔の慟哭が、清水寺を震わせた。

寺を取り巻く紅葉が真っ赤に燃え尽きて、枯れ果てさせてしまうかの如く――。

9

阿賀田が連行された直後、蘭、園子、中道も清水の舞台に来ていた。

「おっそいなぁ〜〜」

とぼやく園子の隣で、蘭はキョロキョロと周囲を見回した。すると、大勢の観光客の中から新一と世良の姿を見つけた。

「あ、来た！　新一〜！」

手を振る蘭に気づいた新一と世良が、小走りで近づいてくる。

「わりぃ、遅くなった」

「犯人、捕まったの？」

「ああ、まあな。でも蘭は気にしなくていいよ」

新一が言葉を濁すと、園子が「何よー！」と不満そうな顔をした。

「予定のコース変えてアンタたちに付き合って来てあげてんのよ？」

新一はハハハ……と笑ってごまかした。

(嫌な事件だしなぁ……)

事件の詳細を伝えるのをためらっていると、世良が腕時計を見た。

「それよりまだ時間あるけど、どこか行くか？」

「じゃあ北野天満宮！　沖田君が前にそんなこと言ってたし！」

蘭の口から沖田の名前が出てきて、新一はピクリと眉を動かした。昨日の蘭と沖田のツーショット写真が、頭に思い浮かぶ。

——せっかく新一の姿に戻って修学旅行に来たというのに、沖田なんかと会いやがって。

蘭のヤツ、オレのことどう思ってるんだよ。

肝心なこと忘れてるんじゃないのか……？

「あ～結構遠いな。行き方は……」

ガイドブックを見ながら歩く世良に、園子たちが続いた。蘭も付いていこうとすると、

「おい、ちょっと」

新一が腕をつかんだ。

「……どう思ってんだよ？」

「どうって？」

きょとんとする蘭に、新一は軽く苛立った。

「オレのことだよ！　昨日、沖田と会ってたらしいじゃねーか」

「！」

蘭がハッとなる。

やきもちを焼いているようで何だか恥ずかしくなった新一は、プイと横を向いた。

「オメー、ロンドンでオレが告ったこと忘れてんじゃね……」

言い終わらないうちに――制服のネクタイをグイッと引っ張られた。

Chu♥

驚いて目を向けると、蘭の顔が迫ってきて、頬に唇が触れる。

「……これがわたしの返事」

唇を離した蘭は、恥ずかしそうに頬を染めて微笑んだ。

「これじゃダメかなぁ？」

「ダ……」

ダメだろ！　ホッペじゃ……!!

新一は蘭の両肩をつかんだ。

蘭が新一のホッペにキスしたところを目撃した世良、園子、中道が、立ち止まって注目している。

新一は高鳴る胸を抑えながら、蘭に顔を近づけていった。

ドックン。ドックン。ドックン――。

(静まれ、オレの心臓……今だけ大人しくしててくれ……!!)

えっ……と目を丸くした蘭が、ゆっくりと目を閉じた。

蘭の唇がすぐそこに近づいて、新一も目を閉じる。

ドックン。ドックン。ドックン――。

目を閉じると、自分の心臓の音がやけに大きく聞こえてきた。

(――つか、コレどっちだ？　どっちの鼓動なんだ⁉)

次の瞬間――ドックン‼

激しい衝撃が新一の心臓を襲った。思わずふらりと後ろによろける。

胸を押さえる新一の肩から、白い煙が小さく立ち昇った。

(くそっ。やっぱこっちか……)

「……新一？」

目を開けた蘭が、新一の異変に気づいて心配そうに覗き込んだ。

「わ、悪い、蘭。ちょっと事件先から電話が入っちまって……」

脂汗をかいた新一はポケットからスマホを取り出すと、

「じゃ、じゃあまたな」

手を振って駆け出した。

「し、新一……！」

蘭が声をかけるも、新一はそのまま振り返らずに去ってしまった。

残された蘭に、園子、世良、中道が歩み寄る。

「何よ、もォー！　蘭にキス待ち顔までさせておいて」

「み、見てたの⁉」

「まぁね～♥」

ニヤニヤする園子の隣で、世良が真面目な顔でたずねた。

「で、彼はなんて？」

「え？　ああ、なんか事件先から電話が入ったとかって。でもなんだか少し具合悪そうだったな……」

「え？」

蘭の言葉を聞いて、何やら考え込んでいた世良が顔を上げた。そして、突然走り出した。

「あ！　世良ちゃん⁉」

世良は新一が進んだ方向へ走った。が、大勢の観光客がいて、思うように進めない。

「ちょっと通してくれ！」

声をかけながら人の間をかき分けるように進むが、新一との距離はどんどん広がっていく。

「通せって……ちょっと……どけぇ‼」

ようやく本堂から轟門に出たときには、もう完全に新一を見失ってしまっていた。

世良はクッ……と歯噛みした。だがあきらめずに、門の前に立つ係員のおじいさんに声をかける。

「え？　しんどそうに歩いてた高校生？」

「ああ！　こんな顔した男子生徒だ！」

世良はスマホで撮った新一の写真を見せた。

「この轟門から出て行かなかったか？」

「さあなあ。修学旅行生の顔なんかいちいち見てへんから」

「そうか……」

世良はスマホの画面を自分に向けてオフにした。すると、

「ああ、工藤やったらさっき慌てて向こうに走って行きよったで！」

いつの間にか平次が背後に立っていて、通りの先を指差した。その背中には大きなリュックを担いでいる。

「トイレでも行ったんちゃうかなぁ？」

「へエ〜、トイレかぁ」

世良はそう言いながら、平次の後ろに回った。

「ところでなんだ？　そのリュック」

「!!」

平次は慌ててリュックを隠すようにクルリと回って世良と向かい合った。

「そ、そらリュックぐらい持ってるがな」

「ずいぶん重そうだけど、ちょっと中見ていいか？」

「うわっ！　ア、アホ!!」

世良がリュックに手を伸ばしてきて、平次はまたクルリと回ってかわした。

「誰が見せるか！　パンツとか見られたらアカン物がいろいろ入ってんねん!!」

「エッチな本とかも？」

「オ、オウ！　エロエロでハードなヤツが入ってんで！」

「オ～～～♥」

大げさに驚いてみせた世良は、「あれ？」とリュックを覗き込んだ。

「帝丹の制服の袖がはみ出してるけど？」

「ええっ!?」

平次が驚いてリュックを見ると、世良はニヤリと笑った。

「……なーんてね！」

と言って、スタスタ歩いていく。

平次はその後ろ姿を見えなくなるまでじっと見送った。

「おい、工藤。あのキバの姉ちゃんにお前の正体バレとんのとちゃうか？」

平次がチラリとリュックを見ると、リュックの被せぶたが開いてコナンが顔を出した。

「ああ、ヤベェよな」

『本当に工藤新一なのか？』

『十年ぶり？　本当にそうなのか？』

修学旅行初日に新一として初めて会ったときといい、新一のジャージの袖を指摘したときといい、世良は『コナン＝新一』だと見破っているように思えた。

轟門を後にした世良は、考え事をしながら人通りの多い道を歩いていた。

すると、帽子とメガネをかけた女性が真横を通り過ぎた。

「え？」

世良に気づいた女性が足を止め、振り返る。その声に気づいた世良も立ち止まって後ろを見た。

「あ……」

その女性は世良を指差し、驚いた顔をしていた。

「なんだ？」

「あ～ゴメン。なんでもない」

女性は慌てて両手を振ると、「じゃあね」と去っていった。

「……？」

わけがわからない世良は、女性の後ろ姿を訝しそうに見送ると、再び歩き出した。

（あー、ビックリした）

世良とすれ違った倉木麻衣は、少し歩いてから後ろを振り返った。

世良の歩く後ろ姿が見える。

(あの子……女の子だったんだ)

ホテルのエレベーターホールで会ったときはジャージ姿だったから、てっきり男の子だと思った。だからさっき、制服のスカートをはいている世良を見て、思わず声を出してしまったのだ。

ダブルデートだなんて言って、ごめんね——倉木麻衣は心の中で謝ると、前を向いて歩いた。


夕方になり、班別行動をしていた帝丹高校の生徒たちはホテルに戻っていた。

朝食会場になっていた部屋に全員集められ、教師が復路について説明する。そして、

「えー先ほど、二年B組の工藤新一君から『急用のため、これ以上修学旅行に同行できない』と連絡を受けました」

教師の報告に、生徒たちから「ええええ⁉」とどよめきが起こった。

「静かに！　なので彼が入っていた班は、彼抜きで帰り支度を始めてください」

園子は「はーい！」と手を挙げた。

「それから訳あって、自分が事件にかかわったことは伏せておきたいとのことなので、SNSとかでアップしないように！」

生徒たちが、ハーイ、と声を上げる。

「あ〜あ、せっかく帰りの新幹線で事件の話を聞こうと思ったのに……」

「まあ、世良ちゃんに聞けばいっか！」

クラスメイトたちが残念そうに話しているのを横目に、園子はハァ〜と大きなため息をついた。

「あの推理野郎、マジで帰っちゃったよ。蘭にキス待ち顔させたままで……」

「もォ！　それは言わないでよ〜！」

蘭は顔を赤くしながら、園子に言った。

「……っていうか、新一、わたしと沖田君が会ったこと知ってたんだけど」

「ああ。わたしが新一君に二人の密会写真をメールで送ったのよ♥」

園子は悪びれることなく言うと、「で？」と身を乗り出した。

「あのとき、沖田君と何話してたのよ？」

「ああ、あれは届けもののついでに……」

蘭は先斗町で沖田と会ったときのことを思い出した。


ちょっとこっちに――と沖田の手を引っ張って園子たちから離れた蘭は、制服のポケットから小さな包みを取り出して沖田に渡した。

『このお守り、佐藤刑事から預かってて。剣道大会のとき、沖田君が落としたって……』

『おー！　探してたんや、コレ！　おーきに!!』

沖田は嬉しそうに包みからお守りを取り出すと、首から提げようと長い紐を頭に通した。

蘭が『そ、それで、あの……』と言いにくそうにうつむく。

『そのお守り……探偵事務所のテーブルの上に置いてたら、お父さんがお守りの中を見ちゃって……』

『み、見たんか⁉ 写真‼』

『は、はい！ わたしも思わず……』

てっきり蘭のお守りだと思った毛利小五郎は、お守りの中を見てしまったのだ。お守りの中には木片と写真が入っていて、ちょうどそこに出くわした蘭も写真を見てしまった。

『そ、それでその……』

蘭は沖田に近づくと、口に手を当てて声をひそめた。

『あのお守りに入ってた写真の女の子って、沖田君の彼女なんですか？』

お守りに入っていた写真には、竹刀袋を抱えた女の子が写っていた。肩までかかるぐらいの茶髪にカチューシャをつけ、気の強そうな瞳のきれいな女の子だ。

『‼』

『わたし気になって気になって、沖田君に会ったら絶対聞こうって……』

『ちゃうちゃう！　彼女ちゃうわ!!』

頬を赤く染めた沖田は、慌てて否定した。そして、

『今は……やけど……』

とそっぽを向いて照れくさそうに頬をかく。

『じゃあ好きなんですね、あの女の子のこと！　お似合いだと思います♥』

蘭の言葉に、沖田は『ああ……』と小さくうなずいた。

『その娘、オレの好敵手の妹やから、その兄貴倒さへんと告られへんなァて思てるんやけど……』

『ヘエー……』

沖田の真剣な想いが伝わってきて、思わず蘭までドキドキした。軟派な口調で話しかけてくるから軽いイメージを持っていたけれど、好きな女の子に対しては真面目で一途なんだと知る。

『このこと、オッパイには内緒にしといてや』

蘭に顔を近づけた沖田は、口に手を当ててぼそっと言った。

(オッパイ?)

何のことだろうと思っていると、沖田は紅葉の方をチラリと見た。

『こんなこと知られたら、ヤイヤイ言われてかなんし……』

どうやらオッパイとは紅葉のことらしい――。


「――って感じのことを話してただけで……」

蘭が沖田と話したときのことを説明すると、園子は「なんだ~」とガッカリした。

「甲斐性無しの旦那に焦れて、別の似た男と浮気してたんじゃなかったのね?」

「う、浮気って……!」

「まあその密会写真のおかげでキスできたようなモンだし、ありがたく思ってよね!」

悪びれるどころかいいことしたとばかりにウインクする園子に、蘭は「あのねぇ……」

とあきれた顔をした。すると、

「なあ、毛利」

ニヤニヤした中道が会沢たちを連れて近づいてきた。

「どうだったんだ？　キ、キスの感触は？」

「どうって……」

蘭が困っていると、園子がズイッと身を乗り出した。

「アンタたち、聞く相手間違ってんじゃないの？　だいたいねェ！　アンタたちそんなことばっか言ってるから、いつまでたっても彼女できないのよ!!」

中道たちを責める園子のそばで、蘭は新一にキスしたときのことを思い出した。

（キスっていっても、したのホッぺだけど……）

それでも蘭は、清水の舞台から飛び降りる想いでキスした。ありったけの勇気を出して、返事したというのに、新一は電話に出るからと途中で行ってしまった。

（新一……）

そのとき、ポケットに入れた携帯が鳴った。メールの着信音だ。

（メール……新一から!?）

蘭はドキドキしながらメール画面を開いた。

【件名：無題
悪いな蘭、もう少しオメーといたかったけどそんなにうまくはいかねぇな。
でも告白の返事が聞けて超うれしかったよ！　ありがとな!!　新一】

（――ったく……）

メールを読んだ蘭は、眉をひそめながらも笑みを浮かべた。

いつも事件、事件って、たまに会えてもすぐにいなくなっちゃうし、こんなときもメールで済まそうとするのが少し腹立たしい気もするけど……。

（ま、許してやっか）

蘭はニンマリしながら、メールの返事を打ちはじめた。

そんな蘭からやや離れたところで、世良が蘭を振り返りながら電話をかけていた。

「ああ……どうやらあるみたいなんだ。ママの体を元に戻す薬が……」

世良が電話をしている相手は、世良とホテルで一緒に住んでいる女の子だった。

世良によく似た中学生ぐらいの女の子で、以前、世良は彼女を〈領域外の妹〉だとコナンに言っていた。

「ならば是が非でもその薬の開発者を捜し出し、薬をせしめろ」

ベッドに腰かけて電話をしていた女の子は、ゴホゴホと咳き込んだ。

「体を元に戻したら逃げ回るのはもう止めだ。反撃に転じる。——ぬかるなよ、真純」

『うん！』

世良よりも年上のような命令口調で話す女の子は、電話を切ると再び咳き込んだ。

10

薬が切れてコナンの姿に戻った新一は、平次のバイクのタンデムシートに乗っていた。

京都から一般道路をひたすら走り、三重県から愛知県に入って、夕日を背に日光川大橋を渡る。

すると、コナンのポケットに入れていたスマホが鳴った。バイクを運転する平次がチラリと振り返る。

「おい。走行中にスマホいじんなや！　危ないやろ？」

「見るだけだから」

コナンはそう言って、メール画面を開いた。

【件名：メールありがとー
わたしたち、付き合ってるってことでいいんだよね？　蘭】

（やべぇ。すぐに返信してェ……）

コナンがはやる気持ちを抑えていると、平次が「けど」と言った。

「あの小っさい姉ちゃんも意地悪やなぁ。予備の薬くれてたら、お前も新幹線で帰れたっちゅうのに……」

（予備の薬……）

コナンは心の中でつぶやいた。

本当は灰原から予備の薬をもらっていたが、飲まなかったのだ。

薬の効果が切れてもすぐに薬は飲めず八時間は間を空けなければいけないし、八時間後はもう東京に着いてしまっているからだ。

「せやけどホンマ焦ったで」

平次は前を向いたまま言った。

「目の前でみるみる小そうなるお前を隠しながら、リュックに詰めなアカンかったからのオ。そうなる前に一言教えとけっちゅうんじゃ！」

「こっちはこっちでいろいろ大変だったんだよ！」

蘭にキスされたときのことを思い出したコナンは、顔が赤くなった。

「ん？　なんかあったんか？」

「み、見てねぇなら別にいいよ」

「見てへんわ、なーんも」

そっけなく言った平次は、ヘルメット越しにチラリとコナンを見た。

「お前とあの姉ちゃんが清水の舞台でチューしてるトコなんか、ぜーん然な」

「み、見てたんじゃねーか!!」

コナンはさらに顔が赤くなった。

「あ、だから、あれははずみというかなんというか……」

慌てて言い訳するコナンを尻目に、平次は（くそっ！）とスピードを上げた。

（清水の舞台は次の絶景告白ポイント第一候補やったのに……おまけにチューやと？）

新一に先を越されて苛立つ平次の頭に、和葉が思い浮かぶ。

（いらんハードル上げよって……！）

やり場のない苛立ちを振り切るように、平次はさらにスピードを上げて国道を走った。

アメリカ・ロサンゼルス――。

新一たちが解決した事件は、アメリカの早朝のニュース番組でも報道され、有希子は驚いた。

「あら。こっちでもすごいニュースになっているわね、新ちゃんが解決した事件」

「仕方ないさ。被害者も犯人も有名人だったんだから」

ソファに座って テレビを見ていた優作は、コーヒーを口にした。

「でもビックリ。殺人の動機となったのが、京子ちゃんが好きだった彼の死だったなんて」

「ああ」

「そういえば、なんで知ってたの？　出栗未智男君の名前」

有希子は新一が電話をかけてきたときのことを思い出した。

『その彼はもしかして出栗未智男君かな？』

あのとき、有希子が言う前に、優作の口から彼の名前が出てきたのだ。

「映画のポスターだよ」

「え？　ポスターに出栗君の名前なんか載ってなかったわよ？」

優作はコーヒーカップをテーブルに置くと、開いていたノートパソコンを操作して、『紅の修羅天狗』のポスターを画面に表示した。

「君の友人の女優がわざわざ名前を変えたのなら、何か意味があると思ってね。この文字

の間隔がいびつな部分の上下をこうやって隠してやると……」

阿賀田力、鞍知景子、井隼森也、西木太郎坊、馬山峯人――映画のポスターには縦書きの名前が横一列に並んでいて、優作は名前の上下を両手で隠した。両手の隙間から、真ん中辺りの文字だけが見える。

有希子は目を細め、優作の両手の隙間から見える文字をじっと見つめた。

すると、それぞれの名前の漢字と部首が組み合わさって、『出』『栗』『未』『智』『男』の文字が浮かび上がる――。

「あっ、ホントだ！『出栗未智男』って書

いてある!!」

「このポスターは初号試写の後に出来たそう　だから、これを出栗君が見ていれば、自殺することも、阿賀田君が殺人を犯すこともなかったかもしれないな……」

「そうね……」

有希子が感慨深げにうなずくと、優作は再びニュース番組に目を向けた。

「まあ問題は、こんな世界的な大ニュースになってしまった事件を解決したのが、この世にいないはずの新一だという事だ…高校生探偵たちにより解決したとしかまだ報道されてないが……」

「大丈夫だって」

有希子は明るい口調で言った。

「新ちゃん、そういうところ抜け目ないから、ちゃんと口止めしてるって!」

有希子の言うとおり、新一は周りに口止めしているだろうが、果たしてそれで新一の存在を隠し通せるだろうか――優作は険しい目でテレビを見つめた。

修学旅行から帰ってきた蘭が自宅の前に着くと、毛利探偵事務所の明かりがついていた。

「ただいま～」

事務所のドアを開けると――小五郎が自分のデスクでいびきをかいて寝ていた。

（せっかく娘が修学旅行から帰ってきたんだから、ちゃんと出迎えてよね！）

ふくれっ面で小五郎をにらみつけた蘭は、ふと自宅がある三階を見上げた。

（……コナン君、上かな？）

蘭はポケットから携帯を取り出し、画面を開いた。

メールの着信はなかった。

京都のホテルにいたときに新一からメールが届いて、すぐに返事を送ったけれど、その後新一からの返信はない。

（新一、ちゃんとわたしのメール見たのかなぁ……）

その頃。

平次のバイクで東京に向かっていたコナンは、沼津のファミレスで休憩をしていた。

「おい！　聞いてるか、工藤！」

蘭からのメールを見ていたコナンが顔を上げると、くたびれた様子の平次が軽食をつまんでいた。

「東京着いたら、ステーキやぞステーキ！」

「ああ」

「安もんやないぞ！　血ィのしたたるような……そんでもってあれだ、ほら……」

バイクの運転で疲れすぎて頭が回らないのか、言葉がすぐに出てこない。

「ん〰〰〰、ゴッツイうまいやつや‼」

「わあってるよ。ちゃんとおごるから心配すんなって」

コナンが言うと、平次はハァ〰〰と疲れを吐き出すように息をした。

「東京まで送ったるなんて言うんやなかったで……」

軽食を片手にひじをつく平次のそばで、コナンはメールを手早く打ち込み、送信ボタンをタップした。


蘭はデスクで寝ている小五郎を起こさずに事務所を出ると、自宅のある三階に上がった。

ドアの鍵を開けたと同時に、携帯電話が鳴る。

蘭は慌ててポケットから携帯を取り出し、画面を開いた。

(メール……新一から!?)

靴を脱ぎ捨てて、荷物をリビングに置くと、自分の部屋に駆け込んだ。閉めたドアにもたれて、ドキドキしながらメール画面をそっと開く。

【件名:バーロ
付き合ってるに決まってるだろ?　新一】

メールを読んだ蘭の顔がみるみる赤くなり、携帯を持ったまま勢いよくベッドに倒れ込んだ。ゴロンと横に転がり、うつ伏せになって再びメール画面を見る。

新一からのメールを何度も読み返した蘭は、嬉しそうに携帯を抱えて猫のように丸くなった。

Shogakukan Junior Bunko

★小学館ジュニア文庫★

名探偵コナン 紅の修学旅行

2019年 1 月16日 初版第 1 刷発行
2020年 9 月30日 第 5 刷発行

著者／水稀しま
原作／青山剛昌
（少年サンデーコミックス『名探偵コナン』⑭⑮より）

発行人／野村敦司
編集人／今村愛子
編集／伊藤　澄

発行所／株式会社　小学館
〒101-8001　東京都千代田区一ツ橋２－３－１
電話／編集　03-3230-5105
販売　03-5281-3555

印刷・製本／中央精版印刷株式会社

カバーデザイン／石沢将人＋ベイブリッジ・スタジオ

Printed in Japan　ISBN 978-4-09-231273-9